朝日新書
Asahi Shinsho 781

コロナ後の世界を語る

現代の知性たちの視線

養老孟司　ユヴァル・ノア・ハラリ
福岡伸一　ブレイディみかこ
ジャレド・ダイアモンド　角幡唯介　ほか

朝日新聞社・編

朝日新聞出版

まえがき

朝日新聞の東京本社は、豊洲へと移転した築地市場の跡地のすぐ隣にある。本来ならば、今頃、跡地は東京五輪・パラリンピックの車両基地として、多数のバスや車が連なり、世界各国から詰めかけた関係者でさぞかし華やいでいたことだろう。選手村の予定地はすぐ近くだ。

だが、今、がらんと、のっぺらぼうになった跡地に人影はない。つい先日まで、夜になると、窓からは東京アラートで赤く照らされたレインボーブリッジが見えていた。インバウンドで賑わっていた築地場外は、シャッターを下ろしている店も少なくない。今年の初め、この閑散とした夏を誰が想像しただろう。

世界は一体どこへ向かっているのか。

朝日新聞のニュースサイト「朝日新聞デジタル」のデスクとして、アクセス数やツイート数などを分析しながら、毎日のニュースを配信するのが、現在の私の仕事である。築地の本社で、在宅ワークの日は自宅で、日々、様々な指標を眺めていると、世代、性別、国籍を問わず、多くの人が同じ心持ちなのだ、と改めて実感する。緊急事態宣言の間はアクセス数が終日はねあがり、特に感染者数が発表される夜に向けて急増した。何が起きていて、どうすれば命は守れるのか。みんな、息を潜めて見つめていた。

そして、もうひとつ、数値に表れた顕著な特徴は、世界各地の識者がこの状況を読み解いたインタビューへの高い関心である。

ウイルスと生命の深遠なる関係を格調高く綴った福岡伸一氏の寄稿は、朝日新聞紙上に4月に掲載され、デジタルでも配信されると、爆発的に読まれた。『サピエンス全史』のユヴァル・ノア・ハラリ氏への高野遼・エルサレム支局長によるインタビューも同様だった。

混迷する時代を生き抜く指針が求められている。

その後も、各地の特派員のほか、政治部、文化くらし報道部など、各部から続々とインタビューが出稿され、大きな反響があった。

それなら、朝日新聞デジタルでは、1カ所にまとめた特集ページをつくったら読みやすいだろうと、4月末、デザイン部の加藤啓太郎さんがつくった洗練されたメーンビジュアルのもとに、「コロナ後の世界を語る～現代の知性たちの視線」を開設した。ネットでつながりながら、森本浩一郎さん、伊藤あずささん、日高奈緒さんほか、デジタル編集部のみなさんと在宅ワークで、ページづくりに取り組んだ。

『銃・病原菌・鉄』のジャレド・ダイアモンド氏、「不要不急」を問うた養老孟司氏らによる論考が続々と追加され、現在も更新を続けている。その一部を、新書の形でまとめたのが本書である。

思えば新聞の役割は、早く正確なニュースの提供とともに、時代を切り取るすぐれた論考を載せることにもある。齢(よわい)80を迎えた私の父は新聞をスクラップするのが趣味のひとつだが、楽しみに切って眺め返しているものといえば外部の筆者によるコラムや寄稿ばかりだ。

今回収録されたものは、世界の第一線に立つ知識人が、同じ困難に向き合いながら、語り綴った論考である。新聞社だからこそ成しえた即時性にも意味があると思う。

いまだコロナ禍の収束が見えない中、本書が示す多様な視点が、混迷する世界について考える一助になれば、幸いである。

朝日新聞東京本社デジタル編集部次長　三橋麻子

2020年夏

目次

第3章 社会を問う

写真（とくに断りのないもの）／朝日新聞社

第1章

人間とは　生命とは

寄稿

養老孟司

Takeshi Yoro

私の人生は「不要不急」なのか？ 根源的な問いを考える

政治家が発した「不要不急」という言葉。それはどういう意味なのだろうか？　新型コロナウイルス禍の中、私たちに投げかけられた問いについて思索を巡らす。

解剖学者

ようろう・たけし／1937年生まれ。89年『からだの見方』でサントリー学芸賞を受賞。2003年のベストセラー『バカの壁』で毎日出版文化賞特別賞を受賞した。『唯脳論』『遺言。』など著書多数。

「不要不急」は若い時から悩みの種

新型コロナウイルスの問題が生じ、関連する報道が盛んになって、まず印象に残った言葉は「不要不急」だった。妻と娘は外出制限で不要不急の脂肪がついたという。私は80歳を超え、当然だが公職はない。この年齢の人なら、非常事態であろうがなかろうが、家にこもって、あまり外には出ない。出る必要がない。今の私の人生自体が、思えば不要不急である。年寄りのひがみと言えばそれだけのことだが、相模原市の障害者施設で19人を殺害した犯人なら、そういう存在について、どう言うだろうか。

この不要不急は、じつは若い時から私の悩みの一つだった。不要は不用に通じる。大学の医学部に入って臨床医になれば、その問題はない。医療がどれほど直接に役に立つか、コロナの状況を見ればわかる。医療崩壊といわれるほど病院の現場は大変で、不要不急どころの騒ぎではない。医療は世界的に現代の社会的必要の最たるものである。

学生時代からそれはわかっていた。母は開業医で、私に医学部への進学を勧めた。時代がどうなっても、医療の腕があれば仕事があって食べていける。それが関東大震災を経験し、夫を亡くした状況下で戦中・戦後を生き抜いた母の本音だった。だから私は医学部に進学し、当時の制度で義務付けられていた1年間のインターンも済ませた。その段階で自分の専門分野を選ぶことになる。

学問研究の意味とは?

ところが本人の気持ちが決まらない。医学部は6年あって、インターンを含めて学生生活が7年、すでに25歳になっている。国家試験に合格、医師免許も取得した。しかしインターン生活を通して明瞭に理解したことがある。それは、責任をもって患者さんを診ることなど、まだ自分にはとうていできない、ということだった。それなら勉強を続けなければならない。だから大学院に進むつもりで精神科を志望した。当時の精神科の大学院は入試がなく、でも志望者が定員より多いから、代わりにクジを引けという。いまなら文部科学省がうるさくて、そんな気楽な選抜は許されないであろう。私はじつはクジが嫌いである。人生自体がクジみたいなものなのに、その上またクジを引けというのか。ともあれ仕方がないからクジを引いたら、案の定はずれだった。

そこで考え直した。要するに自分はまだ勉強が足りない。それなら医学のいちばんの基礎とされていた解剖学から学び直そうか。それで解剖学、正確には第一基礎医学の大学院を受験し、めでたく合格した。ここは定員不足のくせに、入試はちゃんとあった。面白いもんですな。

こうした状況をいま思えば、要するに私は社会的に未成熟だったのである。自立して世間に出ていく。そういう当たり前の自信が欠けていた。大学院は4年間、無事に博士論文を提出して、医学博士の学位を得た。一度も浪人も休学もせず、正規の課程を経て、それですでに29歳、ふつうに他の学部を出ていれば、就職して7年目ということになる。世の中への出遅れもいいところではないか。幸い教室のポストに空きがあって、そのまま解剖学教室助手として採用された。お国から初めて給料をもらえる立場になり、なんとか社会的に自立した、と思った。

ところが就職して1年目の終わりに、例の大学紛争が起こった。ヘルメットにゲバ棒、覆面の学生たちが20人ほど押しかけてきて「この非常時に研究とはなにごとか」と研究室を追い出された。大学封鎖といわれた状況である。研究室のある建物に入れなくなってしまった。お前の仕事なんか、要するに不要不急だろ、と実力行使されたのである。私が不要不急に敏感になった理由をおわかりいただけるだろうか。

すべては自分で考えるしかない

紛争が終わっても、気持ちの中に問題は残った。学問研究にはどういう意味があるか。学生たちはそれを問いかけただけで、やがていなくなったが、私の中にその問題が残されてしまった。自分は解剖学をやっているが、それにはどういう意味があるのか。私の著作を読んでくださった人は、その気持ちが所々に表れているのに気づかれたかもしれない。同業者にそれを言っても、それは哲学でしょ、そんなこと考える暇があったら、解剖学の勉強をしなさい、と言われるだけである。解剖学の意味を尋ねるのは、ふつうは解剖学とはみなされないからである。解剖学以外の医学関係の人に尋ねたら、解剖なんて杉田玄白でしょ、いまさらやることがあるの、と言われてしまう。

そこでやっと気が付く。自分のやることなんだから、すべては自分で考えるしかないんだな。

後年、夏目漱石のロンドン留学の話を知った。漱石はロンドンで文学論を勉強しようと思ったらしい。でも講義を聴いても、さっぱり参考にならない。お国からお金をもらって留学しているのに、成果が上がったとは、とうてい思えない。そのことで悩んで、神経衰弱のうわさが立ったといわれている。留学の終わりごろになって気づく。文学論は教えてもらうものではない。自分でつくるものだ、と。漱石はそこで初めて自立した。私はそう感じて、漱石でもそうだったかと感動した。だから漱石の創作活動は留学以後に始まる。

なぜ自立の話なのか。不要不急は自分のことではない。そのモノサシは周囲、つまり世間という状況にある。自立しなければ世間に流されてしまう。それはそれでいいけれど、それでは学問を志した意味がない。私が就職した当時はいわゆる高度経済成長期で、大学教員の給与は相対的に低かった。どこかの会社に就職した方が、よほど実入りがいい。

全共闘の学生たちは、私の研究を不要不急とみなした。それはそれで仕方がない。とりあえずそんなものは要らないよ。そう言われたって、返す言葉がない。じゃあどうするかって、耐えるしかない。どうして耐えることができたかというと、当たり前だが、いずれは事態が「正常」に戻ると確信していたからである。戻らなかったら、どうか。そこにも自立の問題が関わってくる。なんでもいい。やろうと思ったことをするだけである。

俺の仕事って要らないんじゃないのか

緊急事態下でも勤務せざるを得ない仕事がある。医療はもちろんそうである。その医療の世界で、私は常に不要不急を感じていた。俺の仕事って、結局は要らないんじゃないのか。たまたま機会があって、小泉内閣に入閣する以前の、慶應義塾大学教授だった竹中平蔵氏と対談する機会があった。私は経済にはまったくの音痴だったから、自分の給料を支払ってくれているのはだれか、という疑問を持っていた。直接にはそれは税金だが、その税金の分は、だれが実質的に生み出してくれているのか。解剖学で遺体を解剖していても、お金にならないことは間違いない。だから竹中さんにそれを尋ねた。そうしたら竹中さんはたちどころに何業が何パーセントと、実体経済で各業種が占める割合を数字で語ってくれた。なんとも頭のいい人で、素人の私は感激した。もちろん無知だったから、経済とは実体経済に他ならない、と勝手に信じていた。竹中さんはその私のバカ頭からの質問をきちんと理解してくれたのであろう。もっとも日本のＧＤＰの６割は個人消費だ、などという余計なことは教えてくれなかったと思う。

自分の仕事は根本的には不要不急ではないか。ともあれその疑問は、たえず付きまとっていた。ただそれは自分だけの問題ではなく、世間と私の仕事との関係性だということは、どうやらわかり始めていた。世間がどういう仕事を私に要求し、他方、私はどういう仕事をしたいと思っているのか。その両者にどこまで一致点があるのか。その一致があまりない。それに気が付いた時、私は大学を辞する決心をした。その後は一瀉千里、いわば別の人生に近いものを送ることになった。

ヒトとウイルスは不要不急の関係

ここでコロナの問題に戻ろう。ウイルスにも不要不急はあるのか。

寄生虫は宿主が死なないように配慮している。寄生虫が宿主にとって致命的になるのは矛盾である。なぜなら宿主の死は自分の死を意味するからである。寄生虫が致命的になるのは、宿主を間違えた場合が多い。寄生虫ほどに「高等な」生きものになると、宿主を生かさず殺さず状態にして、自己と子孫の保全を図る。ウイルスの場合も最終的には似たことになるに違いない。ヒトは適当に感染し、適当に病気になり、適当に治癒する。これならウイルスはヒト集団の中で生き続ける。ヒト集団全体を滅ぼしてしまっては、共倒れになってしまう。「新しい」ウイルスとは、新たにヒト集団に登場し、そこに適応していくまでの過程にあるウイルスである。コロナもやがてそうなるはずで、薬剤が開発され、多くの人が免疫を持ち、一種の共生関係が生じて、いわば不要不急の安定状態に入る。

ヒトとウイルスの、不要不急の関係がいかに深いか、それはヒトゲノムの解析が進んでわかったことである。ヒトゲノムの4割がウイルス由来だという報告を読んだことがある。その4割がどのような機能をもつか、ほとんどまったく不明である。むしろゲノムの中で明瞭な機能が知られている部分は、全体の2%足らずに過ぎない。つまりヒトゲノムをとっても、そのほとんどが不要不急である。それはジャンクDNAと呼ばれている。ジャンクの方が量的にはむしろ全体を占める。そういうことであれば、むしろ要であり、急であることが、生物学的には例外ではないのか。

私が学生のころ、胸腺はなにをするところか、その働きは不明だった。免疫学が進んで、それが免疫細胞の教育機関であることがわかって、なぜ幼弱な動物では胸腺が大きく、成体では小さいかも理解ができるようになった。「はたらき＝機能」は枠組みに依存して決まる。胸腺の機能は免疫系という枠組みがあって初めて理解できる。ジャンクDNAについても、遺伝情報を担うという枠の中では機能がない。しかし別な枠組みの機能があっても、何の不思議もない。そのもの自体から機能という枠組みを推定することは困難である。機能は他者との関係を意味するからである。

コロナ問題は、現代人の人生に関する根源的な問いを、いくつか浮かび上がらせた。不要不急という言葉一つをとっても、さまざまな意味合いを含む。右の内容は、この言葉から私が連想したことを述べただけで、政治家が言う不要不急と関係がないことはわかっている。さらに現在、要であり急である仕事に携わる人には、不適切な発言と思われる可能性がある。しかし人生は本来、不要不急ではないか。ついそう考えてしまう。老いるとはそういうことなのかもしれない。

（2020年5月12日配信）

寄稿

福岡伸一

Shin-Ichi Fukuoka

生物学者

ウイルスは撲滅できない 共に動的平衡を生きよ

新型コロナウイルスは、生命や進化について改めて考える契機になった。そもそもウイルスとは生物なのか、それとも無生物なのか。その不可思議な存在について考える。

ふくおか・しんいち／1959年生まれ。青山学院大学教授、ロックフェラー大学客員研究者。ハーバード大学医学部フェロー、京都大学大学院助教授などを経て現職。著書に『生物と無生物のあいだ』『動的平衡』など。

ウイルスは利他的な存在

ウイルスとは電子顕微鏡でしか見ることのできない極小の粒子であり、生物と無生物のあいだに漂う奇妙な存在だ。生命を「自己複製を唯一無二の目的とするシステムである」と利己的遺伝子論的に定義すれば、自らのコピーを増やし続けるウイルスは、とりもなおさず生命体と呼べるだろう。しかし生命をもうひとつ別の視点から定義すれば、そう簡単な話にはならない。すなわち生命を、絶えず自らを壊しつつ、常に作り替えて、あやうい一回性のバランスの上にたつ動的なシステムである、と定義する見方――つまり、動的平衡の生命観に立てば――、代謝も呼吸も自己破壊もないウイルスは生物とは呼べないことになる。しかしウイルスは単なる無生物でもない。ウイルスの振る舞いをよく見ると、ウイルスは自己複製だけしている利己的な存在ではない。むしろウイルスは利他的な存在である。

今、世界中を混乱に陥れている新型コロナウイルスは、目に見えないテロリストのように恐れられているが、一方的に襲撃してくるのではない。まず、ウイルス表面のたんぱく質が、細胞側にある血圧の調整に関わるたんぱく質と強力に結合する。これは偶然にも思えるが、ウイルスたんぱく質と宿主たんぱく質とにはもともと友だち関係があったとも解釈できる。それだけではない。さらに細胞膜に存在する宿主のたんぱく質分解酵素が、ウイルスたんぱく質に近づいてきて、これを特別な位置で切断する。するとその断端が指先のようにするすると伸びて、ウイルスの殻と宿主の細胞膜とを巧みにたぐりよせて融合させ、ウイルスの内部の遺伝物質を細胞内に注入する。かくしてウイルスは宿主の細胞内に感染するわけだが、それは宿主側が極めて積極的に、ウイルスを招き入れているとさえいえる挙動をした結果である。

ウイルスは受け入れるしかない

これはいったいどういうことだろうか。問いはウイルスの起源について思いをはせると自ずと解けてくる。ウイルスは構造の単純さゆえ、生命発生の初源から存在したかといえばそうではなく、進化の結果、高等生物が登場したあと、はじめてウイルスは現れた。高等生物の遺伝子の一部が、外部に飛び出したものとして。つまり、ウイルスはもともと私たちのものだった。それが家出し、また、どこかから流れてきた家出人を宿主は優しく迎え入れているのだ。なぜそんなことをするのか。それはおそらくウイルスこそが進化を加速してくれるからだ。親から子に遺伝する情報は垂直方向にしか伝わらない。しかしウイルスのような存在があれば、情報は水平方向に、場合によっては種を超えてさえ伝達しうる。

それゆえにウイルスという存在が進化のプロセスで温存されたのだ。おそらく宿主に全く気づかれることなく、行き来を繰り返し、さまようウイルスは数多く存在していることだろう。

その運動はときに宿主に病気をもたらし、死をもたらすこともありうる。しかし、それにもまして遺伝情報の水平移動は生命系全体の利他的なツールとして、情報の交換と包摂に役立っていった。

いや、ときにウイルスが病気や死をもたらすことですら利他的な行為といえるかもしれない。病気は免疫システムの動的平衡を揺らし、新しい平衡状態を求めることに役立つ。そして個体の死は、その個体が専有していた生態学的な地位、つまりニッチを、新しい生命に手渡すという、生態系全体の動的平衡を促進する行為である。

かくしてウイルスは私たち生命の不可避的な一部であるがゆえに、それを根絶したり撲滅したりすることはできない。私たちはこれまでも、これからもウイルスを受け入れ、共に動的平衡を生きていくしかない。

（2020年4月6日配信）

*

ウイルスも生命

自然というもののありようをいま一度、きちんと考えてみたい。「新しい生活様式」

推奨策のため、夏も近いというのに、海や山に行くのが憚られるようになってしまった。でも、〝自然〟は私たちのごく身近にある。といっても近所の公園のことではない。私たちのもっとも近くにある自然とは自分の身体である。

生命としての身体は、自分自身の所有物に見えて、決してこれを自らの制御下に置くことはできない。私たちは、いつ生まれ、どこで病を得、どのように死ぬか、知ることも選り好みすることもできない。しかし、普段、都市の中にいる私たちはすっかりそのことを忘れて、計画どおりに、規則正しく、効率よく、予定にしたがって、成果を上げ、どこまでも自らの意志で生きているように思い込んでいる。ここに本来の自然と、脳が作り出した自然の本質的な対立がある。前者をギリシャ語でいうピュシス、後者をロゴスと呼んでみたい。ロゴスとは言葉や論理のこと。

生命はピュシスの中にある。人間以外の生物はみな、約束も契約もせず、自由に、気まぐれに、ただ一回のまったき生を生き、ときが来れば去る。ピュシスとしての生命をロゴスで決定することはできない。人間の生命も同じはずである。

それを悟ったホモ・サピエンスの脳はどうしたか。計画や規則によって、つまりアルゴリズム的なロゴスによって制御できないものを恐れた。制御できないもの。それは、ピュシスの本体、つまり、生と死、性、生殖、病、老い、狂気……。これらを見て見ぬふりをした。あるいは隠蔽し、タブーに押し込めた。しかし、どんなに精巧で、稠密なロゴスの檻に閉じ込めたとしても、ピュシスは必ずその網目を通り抜けて漏れ出してくる。溢れ出したピュシスは視界の向こうから襲ってくるのではない。私たちの内部にその姿を現す。

そんなピュシスの顕れを、不意打ちに近いかたちで、我々の目前に見せてくれたのが、今回のウイルス禍ではなかったか。ウイルスは無から生じたものではなく、もとからずっとあったものだ。絶えず変化しつつ生命体と生命体のあいだをあまねく行き来してきた。ウイルスの球形の殻は、宿主の細胞膜を借りて作られる。ウイルスも生命の環の一員であり、ピュシスを綾なすピースのひとつである。

ウイルスが伝えようとしていることはシンプルである。医療は結局、自ら助かる者を助けているということ、今は助かった者でもいつか必ず死ぬということ、それでもなお、我々がその多様性を種の内部に包摂する限りにおいて、誰かがその生を次世代に届けうるということである。

無駄な抵抗はやめよ

一方、新型コロナウイルスの方も、やがて新型ではなくなり、常在的な風邪ウイルスと化してしまうだろう。宿主の側が免疫を獲得するにつれ、ほどほどに宿主と均衡をとるウイルスだけが選択されて残るからだ。明日にでも、ワクチンや特効薬が開発され、ウイルスに打ち克ち、祝祭的な解放感に包まれるような未来がくるかといえば、そんなわけがないことは明らかである。長い時間軸を持って、リスクを受容しつつウイルスとの動的平衡を目指すしかない。

ゆえに、私は、ウイルスを、ＡＩやデータサイエンスで、つまりもっとも端的なロゴスによって、アンダー・コントロールに置こうとするすべての試みに反対する。それは自身の動的な生命を、つまりもっとも端的なピュシスを、決定的に損なってしまうことにつながる。かくいう本稿もロゴスで書かれているという限界を自戒しつつ、レジスタンス・イズ・フュータル（無駄な抵抗はやめよ）といおう。私たちはつねにピュシスに完全包囲されているのだ。

（２０２０年６月17日配信）

寄稿

角幡唯介
Yusuke Kakuhata
探検家・作家

人間界を遠く離れた54日間世界は一変していた

「世界が今こんな状態にあるときに、一人、探検などどする意味を考えてほしい」。妻からそう言われた探検家は世界一安全な場所にいた。コロナ禍の日常から遠く離れた地での思惟。

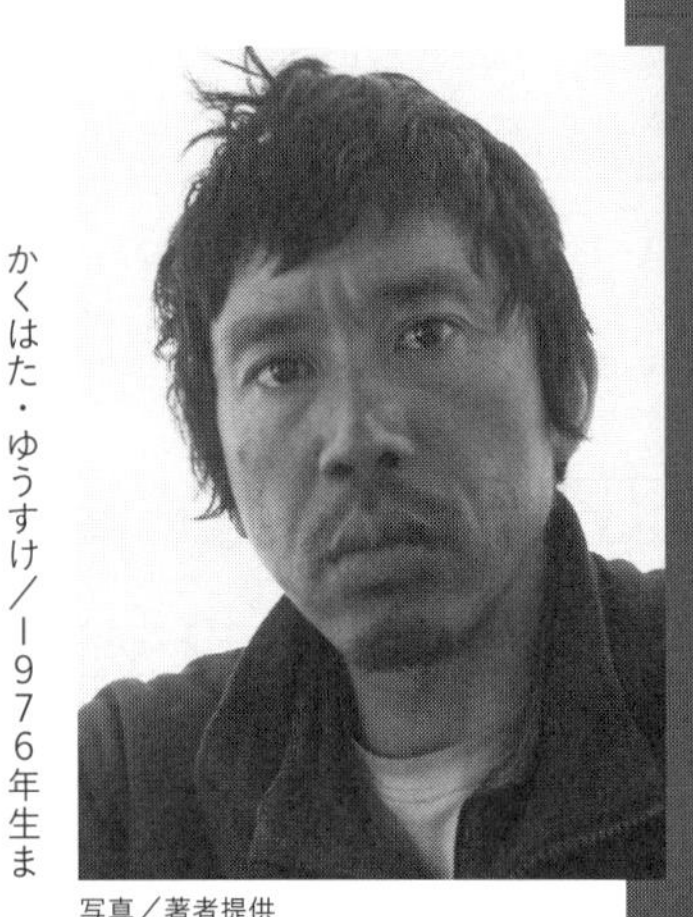

写真／著者提供

かくはた・ゆうすけ／1976年生まれ。早稲田大学卒、同大学探検部OB。著書に『極夜行』（第45回大佛次郎賞）、『アグルーカの行方』（講談社ノンフィクション賞）、『空白の五マイル』（大宅壮一ノンフィクション賞）など。

感染させる相手のいない地へ

この冬のグリーンランド北部はじつによく冷えこんだ。近年は凍らないこともあるカナダ・エルズミア島との間の海峡は1月上旬の時点で結氷し、その後も氷点下30度以下の日がつづいた。海が凍ればそれだけ行動可能なエリアが広がるのが北極の旅の特徴である。

今年はいける。いや、近年の海氷状況や44歳という年齢を考えると、今年が最後のチャンスかもしれない。犬橇(いぬぞり)でグリーンランド側を北上し、北緯80度以北のどこかで幅約30キロの、この地球最北の海峡をカナダ側にわたり、行けるところまで行く。この結氷状態なら北極海まで行けるのでは？　補給もなしにそこまでした犬橇単独行者は記録上はいない。嗚呼(ああ)そんな凄(すご)いことになったらどうしよう。

ひそかに冒険史にのこるスケールの大旅行を夢想した私は、そわそわしたまま、1月中旬に最北の村シオラパルクに入った。

12頭の犬と氷の無人境へ旅立ったのが3月19日だった。ところが村を出発して6日目、衛星電話で最初の連絡を日本の妻にいれたとき、予期せぬ知らせをうけた。

「いい、聞いて、カナダから入国許可を取り消された。だからカナダに行けない」

そんな理不尽な……。冒険史クラスの旅がいきなりなくなり、私はがっくりと沈んだ。と同時に無性に腹が立った。入国不許可の理由はコロナ感染を防ぐためとのことだが、私が入域しようとしていたのは一部の軍事施設をのぞき、周囲700キロは人間など存在しない真の荒野だったからである。私がコロナに感染していたとしても、うつす相手のいない場所なのだ。

世界でただ一人浮いていた

いや、もし私が感染者なら、白熊に2メートル以内に近づいて飛沫感染させ、そしてその白熊が千キロ以上はなれた集落に行き、村人に感染させるかもしれない。もしかしたらカナダ当局はそれを恐れたのか？　だが、そんな現実離れしたことが起きるわけがないではないか――。

今ならわかるが、現実離れしていたのはカナダ当局ではなく、じつは私の方だった。あのとき、私は完全に浮いていた。しかもその浮き方は「あの人、まわりから浮いているよね」といった用法で使われる通常の生半可な浮き方ではなく、世界でただ一人というレベルで浮いていたのだった。

自覚はなかったが、犬橇行に出る前から、私は村のなかで浮いていたのではないかと思う。

村でもしばしば「中国で病気が蔓延（まんえん）しているが、家族は大丈夫か？」と心配されたが、私は軽く受け流していた。なぜかというと、自分のところに情報が届いていなかったからである。テレビを見ても言葉がわからないし、ネット回線も知人宅で借りている身なので、気を遣ってメールのやり取りしかしていない。結果、私が入手しうるコロナ関連の情報は電話で聞く妻の愚痴のみ。娘の幼稚園が休園になるとか、便所の巻紙やマスクの買い占めが始まったといった心配事を聞く度に、たかが流行性の感冒で何故そんな大騒ぎになるのかと揶揄の言葉しか出てこなかった。

人々の心を結節させる言葉とは

3月に入ると、村でも話題はコロナ一色となった。世界中を混沌に陥れる燎原の炎が、いよいよこの世界最北の地にも迫ってくるかもしれない。そんな不安が広がり、村人の話も、デンマークとの定期便が止まるぞ、お前はもう日本に帰国できないぞ、といった憂鬱なものに変わっていった。

そして出発が3日後に迫った3月16日、ついにグリーンランドで感染者が発生する。国外との定期便の運休、外国人旅行者の早期帰国勧告、他の集落への訪問の禁止等の対策が発表され、村人は会見の模様を食いいるように見つめた。事ここにいたり、鈍感な私も何やらただならぬことが起きていると認識せざるをえなくなったが、もう出発は明後日に迫っているし、犬の状態も仕上がったし、雰囲気や気配を察してこの旅行を取りやめます、という選択などとりうるはずもない。そもそも私が行く場所は、病原体とは無縁の完全な荒野なのである。

結局、私は事態の深刻さをよく理解しないまま人間界を離れたのだが、それが自分とも関係する出来事なのだと知ったのが、カナダの許可取り消しの一件だったのである。

それにしてもカナダ当局は、なぜ感染のおそれのない私の入域を禁じたのだろう。私はそれを理不尽だと思ったが、同時に感じたのは、たとえ理不尽でも、白熊や狼(おおかみ)を通じての感染がゼロでない以上、人間はおろかダニ1匹すらこのカナダの地をふませない、という国家としての気合だった。つまりカナダ当局にこうした気合を抱かせるほど世界は一変してしまったらしい。

衛星電話越しの妻の口ぶりからもそれは伝わってきた。

「世界が今こんな状態にあるときに、一人、探検などする意味を考えてほしい。物書きならそれを表現してほしい」

こっちは難所を越えて疲れているのに、この人は何とまた高いハードルを課すのか、鬼嫁だろうか、と私は途方に暮れた。それに探検に出る意味など、これまでも書いてきた。人は誰でも過去の足跡と経験から次はこれをやりたい、というある種の「思いつき」をいだく。この思いつきは、その人の個人的な歴史の歩みがあって生起する以上、それを実行することでのみ人生の固有度は高まり、自分自身になることができるのだ。私がこの長期犬橇行に出たのは他ならぬ私がそれを思いついたからだ。それが人が何かを「やる」理由だと私は考えている。

しかし、妻が問うているのはそういうことではなさそうだった。そんな一人の人間にとっての実存的な意味など、コロナ以前の世界なら通用したかもしれないが、この一変した世界では人の胸には届かない。世界がこんな状態にある、と妻は言った。その世界に私は一人背を向けて旅立っているような口ぶりだった。私と世界は逆の方向を向いている、というのが彼女の認識なのだ。だとするなら、表現者として、その逆向きの行為とコロナ以後の人々の心を結節させる言葉を見つけなければならないのではないか?

「あなたは今、世界で一番安全な場所にいる」

いったい世界はどうなってしまったというのか。

ひとつ、直感的に感じられたのは、日常と非日常が完全に逆転した世界の新しい様相であった。

明日がどうなるかわからない、毎日が未知だ、と妻は言う。以前の世界なら日常とは未来を予期できる状態をいうはずだった。明日も明後日も、きっとこれまでと同じ日々が続くと期待できるからこそ、人は心安らかに暮らすことができる。逆にその予定調和的日常に飽き足りなさを覚えるから、私は非日常的な探検行を志向する。しかしいつの間にやら、この位相は逆転し、未来予期のできない時間を求めていた私がじつはコロナ以前の予定のまま旅に出発して、逆に日常に生きていた他のすべての人々が、今目の前で何が起きるかわからないという未知なる現実に直面している。

「あなたは今、世界で一番安全な場所にいる」とも妻は言った。もちろん白熊はうようよしているし、海氷に穴があいているかもしれない。だが、あと何日北進して村にはこれこれの日に戻れるかな、といった予期を私はもつことができていた。この状態こそ彼女がいう「世界で一番安全な場所」の意味であり、それは紛れもなくコロナ以前の世界の本質だったのだ。

それでも54日間かけて１２７０キロほど犬橇で旅を続けた。カナダには入国できなかったものの、グリーンランド内で許される北限まで行き、５月11日に村に戻った。

そして当然のことながら、その間も私と私以外の世界の間の乖離は大きく広がっていた。私が人間界を離れた54日間は、おそらく世界中がもっとも劇的に変貌した時期だったのだろうと推察するが、その間、何が起きたのか私はほとんど知らない。５日に１回、妻には電話連絡したが、バッテリー残量の問題で会話は必要最小限にとどめていた。村に戻ってからも、あまりの情報の多さに漁る気も起きず、結局、３週間たった今も、私はその間に世界がどうなったのか詳細を知らない。

情報源は相変わらず妻との電話のみだ。村に帰り、妻から日本の現状を聞いたときは、大きな衝撃を受けた。マスクをしなければ街中を歩けないとか、不要不急の用で公共交通機関に乗ると批判されるとか、初めて聞くことばかりで、自粛警察だの他県ナンバー狩りだの、殺伐とした言葉を耳にするたび私は慄いた。おのずと想像されたのは「感染すること／させること」が絶対悪とみなされ、それを破った者には容赦なきバッシングを浴びせ、排除する、恐るべきディストピア社会である。

自分だけが取りのこされて……

今や私は完全な浦島太郎と化した。北極という安全な常世で、いまだコロナ以前の世界に属する現代の浦島太郎。そう書くと思わず笑えてくるが、たった2カ月で世界がここまで一変し、そこから自分だけが取りのこされている現状には言いしれない憂鬱を覚えた。

それはどんな憂鬱か。とにかく浦島よろしく私もその一変した世界に戻らなければならないわけである。危機発生以降、人々は戸惑い、混乱しつつも、それぞれが考え、議論し、コロナ以後の世界を受けいれ、徐々にそれに慣れてきたにちがいない。仮にそれが私が想像するディストピアであっても、そこにいたるまでには過程があり、それを皆、経験している。しかし私はその過程を一切踏むことなしに、一気に激変した世界を受けいれなければならない。皆が知っている変化の意味を、私は知らない。何よりコロナ以後の世界の人々の心の変化が読めない。そこに私は追いつかなければならない。それが猛烈に気が重かった。

ただ村で過ごすうちに、もしかしたら追いつかなくてもいいんじゃないか、という気もしてきた。最近では電話での妻の口ぶりも変化し、切迫した感じがぬけてきた。緊急事態宣言が解除されたとか、娘の学校が始まったとか聞くうちに、あるいは6月中旬に帰国し、2週間の自主隔離期間が明けて社会復帰する頃には、世界はぐるっと一周し、コロナ以前の状態がある程度戻っているのではないか、との期待がないではない。

となると私はもう浦島太郎にもなり切れない、あの頃のことを知らない、ただ会話についてこられない変な人で終わるだけだ。今はそれを期待しているが、所詮(しょせん)儚(はかな)い願望にすぎないのだろうか。

（2020年6月11日配信）

インタビュー

五味太郎

Taro Gomi

絵本作家

心は乱れて当たり前 不安や不安定こそ生きるってこと

突然の休校から学校再開と思ったら、また休校——。二転三転する教育現場の状況に、大人や子どもも疲弊している。この時期をどう捉え、過ごせばいいのか。

ごみ・たろう／1945年生まれ。『かくしたの だあれ』『たべたの だあれ』『きんぎょが にげた』『みんなうんち』など450冊以上の著書がある。エッセーに『大人問題』『じょうぶな頭とかしこい体になるために』など。

学校や社会は、子どもに失礼

――急に学校が閉められて先の見通しも立たず、大人も子どもも心が不安定になっているると感じます。

それじゃ、逆に聞くけど、コロナの前は安定してた？　居心地はよかった？　ふだんから感じてる不安が、コロナ問題に移行しているだけじゃないかな。こういう時、いつも「早く元に戻ればいい」って言われがちだけど、じゃあその元は本当に充実してたの？と問うてみたい。

おれはもともと、今の学校や社会は、子どもに失礼だと思ってる。

――失礼、ですか。

子どもにとって教育は「権利」だと憲法に書いてあるのに、6歳になったら必ず小学校に行き、しかも学校も先生もほぼ選べない。

特に初等教育のプログラムって、ほとんどが「大きなお世話」だとおれは思う。人格形成とか学習能力とか……。もちろん、誰も悪意でやってるわけじゃないんだけど、全員座ってじっと先生の話を聞くって、子どもの体質には合ってない。おれの娘は2人とも途中で学校に行くのをやめたけど、学校に向いてる子と向いてない子、あるいはどっちでもいい子がいる。

学校に行きたくない子どもに親が行きなさいと言うのは、子どもが「お風呂が熱い」って言ってるのに、親が「肩までつかって100まで数えなさい」と言うようなもので……。

——耳が痛いです。

そうでしょう。これに耐えれば卒業証書、修了証書、そして退職金と続いていく。で、疲れちゃって、考えるのをやめていく。それを繰り返しているうちに、自分が何がしたいかわからなくなっていく。わくわくしながら仕事に行ってる人ってどれぐらいいるのかな。

いまは本当に考える時期

――子どもの邪魔をしないように、大人が気をつけることは何でしょう。

例えば、子どもが絵を描いてるわきに行って「なに描いてるの？　上手ね」なんて言わないこと。ピカソに対してはそう言わないでしょう。それはその子個人の絵なんだから。

そんな大人にいっぱい来られて、「お花かわいいわね」と言われたりしてると、めんどうくさくなって、ウケるものを描いてしまう。大人がやりがちなミスです。

――なぜミスしてしまうんでしょう？

大人の未完成度じゃないかな。自分の完成度がここまでだと思えば、後ろを振り向く。そうすると、不幸なことに、幼いガキがいる。無意識に、自分の大きな空白をそれで埋めようとする。子どもに対する責任が社会的に親に持たされちゃってることももちろんある。

ガキたちには、むしろこれがチャンスだぞって言いたいな。心も日常生活も、乱れるがゆえのチャンス。

——チャンス？

だって、学校も仕事も、ある意味でいま枠組みが崩壊しているから、ふだんの何がつまらなかったのか、本当は何がしたいのか、ニュートラルに問いやすいときじゃない？働き方も国会も学校も、色んなことの本質が露呈しちゃっている。五輪の延期も、オリンピックより人の命って結構大事なんだなとやっと再確認したんだろうし、優先順位がはっきりしてくる。

感染者が何人、株価がどう、と毎日ニュースで急カーブのグラフばかり見せられて、グローバルと言っても、心でグローバルしてたんじゃなくてお金がグローバルしてただけなんだなとしみじみ思うよね。

こうなると、世界の全体像は誰もわからない。せっかくなら、前よりよくしましょうよ。

――そうわかっていても毎日ギスギス、オドオドしてしまいますが……。

いまは、子どもも大人も、本当に考える時期。『じょうぶな頭とかしこい体になるために』という本を書いたことがあるけど、戦後ずーっと「じょうぶな体」がいいと言われてきた。それはつまり、働かされちゃう体。「かしこい頭」っていうのは、うまく世の中と付き合いすぎちゃう頭で、きりがないし、いざという時に弱いからね。今みたいな時期こそ、自分で考える頭と、敏感で時折きちんとサボれる体が必要だと思う。

心っていう漢字って、パラパラしてていいと思わない？　先人の感性はキュートだな。心は乱れて当たり前。常に揺れ動いて変わる。不安定だからこそよく考える。もっと言えば、不安とか不安定こそが生きてるってことじゃないかな。

（2020年4月14日配信、聞き手・田渕紫織）

第2章

歴史と国家

インタビュー

ユヴァル・ノア・ハラリ

Yuval Noah Harari

歴史学者

脅威に勝つのは独裁か民主主義か分岐点に立つ世界

政治がウイルスの危機に立ち向かうにあたり、独裁体制の利点やグローバル化の弊害を指摘する声も出てきている。感染拡大で生じる変化とは。世界はいま分岐点に立っている。

1976年、イスラエル生まれ。ヘブライ大学教授。人類史を問い直し、未来を大胆に読み解く著作で知られる。邦訳書に『サピエンス全史』『ホモ・デウス』『21 Lessons―21世紀の人類のための21の思考』など。

政治の重大局面

――ウイルスの感染拡大で、私たちはどのような課題に直面していると考えますか。

「世界は政治の重大局面にあります。ウイルスの脅威に対応するには、さまざまな政治判断が求められるからです。三つの例を挙げてみましょう」

「まず国際的な連帯で危機を乗り切るという選択肢があります。すべての国が情報や医療資源を共有し、互いを経済的に助け合う方法です。他方で、国家的な孤立主義の道を選ぶこともできる。他国と争い、情報共有を拒み、貴重な資源を奪い合う道です。どちらの選択も可能で、政治判断に委ねられています」

「また、ある国はすべての権力を独裁者に与えるかもしれない。独裁者がすでにいる場合もあれば、新たな独裁者が生まれる場合もあります。一方で、別の国では民主的な制度を維持し、権力に対するチェックとバランスを重視する道を選ぶでしょう」

「最後の例は、経済についての政治判断です。企業を救うためには政府の介入が必要ですが、すべての企業を助けることはできない。ある政府は、大企業を救うことを選ぶでしょう。しかし別の政府は、石油や航空会社が潰れても、小さなレストランや理髪店などを助けることもできます」

「すべてにおいて決まった答えはなく、政治に委ねられます。だから私は現状が医療だけでなく政治の重大局面だと定義するのです」

市民による政府監視を

――独裁と民主主義のうち、どちらが感染症の脅威にうまく対応しているでしょうか。

「日本や韓国、台湾のような東アジアの民主主義は、比較的うまく対処してきました。感染者や死亡者の数は低めに抑えられています。しかし、イタリアや米国は同じ民主主義でも、状況ははるかに悪い」

「独裁体制でも中国は、うまくやっているように見えます。中国がもっと開かれた民主主義の体制であれば、最初の段階で流行を防げたかもしれない。ただ、その後の数カ月を見れば、中国は米国よりもはるかにうまく対処しています。一方でイランやトルコといった他の独裁や権威主義体制は失敗している。報道の自由がなく、政府が感染拡大の情報をもみ消しているのが原因です」

――どちらの政治体制が望ましいとも言えないわけですか。

「現状では、独裁と民主主義が生む結果の間に明白な差はないようにみえます。しかし、長い目で見ると民主主義の方が危機にうまく対応できるでしょう。理由は二つあります」

「情報を得て自発的に行動できる人間は、警察の取り締まりを受けて動く無知な人間に比べて危機にうまく対処できます。数百万人に手洗いを徹底させたい場合、人々に信頼できる情報を与えて教育する方が、すべてのトイレに警察官とカメラを配置するより簡単でしょう」

「独裁の場合は、誰にも相談をせずに決断し、速く行動することができる。しかし、間違った判断をした場合、独裁者は誤りを認めたがりません。メディアを使って問題を隠し、誤った政策に固執するものです。これに対し、民主主義体制では政府が誤りを認めることがより容易になる。報道の自由と市民の圧力があるからです」

――市民への監視や管理を強めた中国の手法が成功例とされることについては、どう考えますか。

「新技術を使った監視には反対しないし、感染症との闘いには監視も必要です。むしろ、民主的でバランスの取れた方法で監視をすることもできると考えます」

「重要なのは、監視の権限を警察や軍、治安機関に与えないこと。独立した保健機関を設立して監視を担わせ、感染症対策のためだけにデータを保管することが望ましいでしょう。そうすることで、人々からの信頼を得ることができます。たとえばイスラエルでは、警察による監視をすれば、少数派のアラブ人からの信頼は決して得ることができません」

「独裁体制では、監視は一方通行でしかない。中国では、人々がどこに行くのかについて政府は知っていますが、政府の意思決定の経緯について人々は何も知りません。これに対し民主主義には、市民が政府を監視する機能がある。何が起き、誰が判断をして、誰がお金を得ているのかを市民が理解できるなら、それは十分に民主的です」

——日本は私権の制限に慎重で、民主主義を守りながら対応をしています。しかし国民が不安に駆られ、より強い政府を求める声も出ています。

「政府に断固とした行動を求めることは民主主義に反しません。緊急時には民主主義でも素早く決断して動くことができる。政府からの情報を人々がより信頼できるという利点もある。政府が緊急措置をとるために独裁になる必要はありません」

グローバル化、弊害より恩恵

——感染が一気に拡大したのはグローバル化の弊害だという指摘をどうみますか。

「感染症は、はるか昔から存在していました。中世にはペストが東アジアから欧州に広まった。グローバル化がなければ感染症は流行しないと考えるのは、間違いです。文化も街もない石器時代に戻るわけにはいきません」

「むしろ、グローバル化は感染症との闘いを助けるでしょう。感染症に対する最大の防御は孤立ではありません。必要なのは、国家間で感染拡大やワクチン開発についての信頼できる情報を共有することです」

「中国の湖北省武漢市では封鎖を解除し、人々が仕事に戻ろうとしています。今後数カ月のうちに各国が挑戦する課題です。中国人にはぜひ、湖北省であったことについて、信頼できる情報を提供して欲しい。その経験から、他の国々は学ぶことができます。これこそがグローバルに情報共有し、国同士が頼り合うということです」

――各国は国境を封鎖し、グローバル化に逆行しているようにも見えます。

「国境封鎖とグローバル化は矛盾しません。封鎖と同時に助け合うこともできます。願わくは、家族のようになれたらいい。私は自分の家にいて、2人の姉妹も母もそれぞれの家にいます。会わないけれども毎日電話し、危機が過ぎたら再会したいと願っています。国家間も同じだと思うのです。確かにいまは隔離が必要です。でも憎しみや非難の心ではなく、協力の心のもとで隔離するのです」

――グローバルな協力が必要だとすれば、世界はどんな姿を目指すべきでしょうか。

「人類はもはや米国に頼ることはできません。でもそれは、いいことかもしれない。1カ国の信頼できないリーダーがいるより、世界のために異なる国々が集合的なリーダーシップをとることを目指すのです」

「一部の国はいま、医療だけでなく経済的な危機にあります。米国が2・2兆ドルの経済対策を打ち出したように、日本やドイツなど先進国は大丈夫でしょう。しかし、流行に対処するための国力が足りない国もたくさんあります」

「どの国が適切なたとえかわかりませんが、エクアドルやペルー、エジプトやバングラデシュには十分な国力はなく、感染が広まれば完全に崩壊しかねないでしょう。グローバルなセーフティーネットが必要です。一つの国が崩壊すれば、誰もが苦境に陥る。混乱が生まれ、暴力や移民の波が起き、世界中が不安定になる。もし米国がリーダーシップをとらないのならば、欧州連合（ＥＵ）や日本、中国、ブラジルや他の国々が一緒になって立ち上がってくれることを望みます」

——米国の自国第一主義やブレグジット（英国のEU離脱）に象徴されるように、協調路線には反対論も根強い。この流れが変わるでしょうか。

「わかりません。ただ前向きな兆しはあります。EUでは人工呼吸器やマスクの製造、配分へ向けた協力の試みがみられます。ドイツが周辺国の患者を受け入れた例もあります。専門家が行き来し、治療薬を開発しようとしています」

「今回はEUにとって大きな試練です。連帯を実現できればEUを強くすることができるでしょう。英国がブレグジットから戻ってくることだってあるかもしれない。危機の中でこそ、EUは価値を証明できる可能性があるのです」

——一方で、米国の動きはどう見ますか。

「トランプ大統領が世界保健機関（WHO）を非難し、資金拠出をやめると脅したことには失望しました。トランプ氏は、米国で惨事が起き始めていることに気づいているのでしょう。いずれ、誰かが失敗の責任を問われることになる。中国や日本よりも長い準備期間があったのに、米国は何もしなかったからです。グローバルな対策だけでなく、自国のためにも無策だった。トランプ氏は非難されることを恐れ、スケープゴートを探しています。WHOを責め、自身への非難を避けようとしているだけです」

世界が、我々が立つ分岐点

——協調が必要だとはいえ、各国は自国内の対応で精一杯かもしれません。

「感染症は全世界が共有するリスクだと考える必要があります。たとえば日本からウイルスが消え、南米のブラジルやペルー、エクアドルで流行が続いているとしましょう。ウイルスが人類の体内にいる限り、突然変異する可能性がある。より致死的になったり、感染力が強まったりして、あなたの国に戻ってくる。そして、さらに深刻な流行を引き起こすのです」

「1918年のスペイン風邪の流行は一度では終わりませんでした。18年春には第1波が世界中で流行しましたが、死亡した人は少なかった。その後、ウイルスが突然変異し、18年秋に感染が広がった第2波で死者数は大きく増えました。さらに第3波もありました。一つの国が感染に苦しんでいる限り、どの国も安全でいることはできない。これが、我々が直面している最大の脅威なのです」

——日本を含め、多くの国では感染防止と経済活動とのバランスにも苦慮しています。

「私は経済の専門家ではないのですが、自国のことだけでなくグローバルに物事をとらえることが重要でしょう。もちろん、日本政府はまずは自国民の経済状況を考えなければならない。しかし、経済大国として他国のことを考える責任もあると思います」

「日本が自国民に提供できることを、インドネシアやフィリピン、エジプトやアルゼンチンの政府は国民に提供できないからです。グローバルな経済プランを立てなければ、問題を抱える国が崩壊するだけでなく、世界全体に悪影響が広まってしまいます」

——今回の感染症は、主に先進国でまず広まっていますね。

「それは、先進国が経済活動や旅行などで最も強く結びついているからでしょう。しかし、いまや世界中に感染が広がりつつあります」

「感染は中国から始まり、東アジア、欧州、そして北米へと広まった。最悪の事態は感染が南米、そしてアフリカや南アジアに到達した時に起きるかもしれません。イタリアやスペインが医療体制の問題で流行に対処できていないとすれば、エジプトの体制はスペインよりもはるかに悪い。経済についても同じです」

「我々はまだ最悪の事態に達していないのではないでしょうか。今後1〜2カ月で南米やアフリカ、南アジアでの感染率や死亡率が、欧米よりも悪い状況になるおそれは十分にあります」

——感染の広がりを受け、世界にはどんな変化が起きているのでしょうか。

「危機の中で、社会は非常に速いスピードで変わる可能性があります。よい兆候は、世界の人々が専門家の声に耳を傾け始めていることです。科学者たちをエリートだと非難してきたポピュリスト政治家たちも科学的な指導に従いつつあります。危機が去っても、その重要性を記憶することが大切です。気候変動問題でも、専門家の声を聞くようになって欲しいと思います」

——よい変化だけでしょうか。

「悪い変化も起きます。我々にとって最大の敵はウイルスではない。敵は心の中にある悪魔です。憎しみ、強欲さ、無知。この悪魔に心を乗っ取られると、人々は互いを憎み合い、感染をめぐって外国人や少数者を非難し始める。これを機に金もうけを狙うビジネスがはびこり、無知によってばかげた陰謀論を信じるようになる。これらが最大の危険です」

「我々はそれを防ぐことができます。この危機のさなか、憎しみより連帯を示すのです。強欲に金もうけをするのではなく、寛大に人を助ける。陰謀論を信じ込むのではなく、科学や責任あるメディアへの信頼を高める。それが実現できれば、危機を乗り越えられるだけでなく、その後の世界をよりよいものにすることができるでしょう。我々はいま、その分岐点の手前に立っているのです」

（2020年4月15日配信、聞き手・高野遼）

インタビュー

ジャレド・ダイアモンド

Jared M Diamond

生物学者

コロナを克服する国家の条件とは?日本の対応とは?

新型コロナウイルスは全世界共通の脅威だが、対応策は国によって大きく異なる。国民の命を守れる国家の条件とは何か。この災厄から人類はどんな教訓を学べるのか。

1937年生まれ。カリフォルニア大学ロサンゼルス校医学部生理学教授を経て同校地理学教授。生物学、生態学、地理学などの知見を駆使して人類の歴史を解き明かした著書『銃・病原菌・鉄』などで知られる。

危機に対応する5つの条件

——新型コロナはすでに世界中に広がっていますが、国によって感染率や死亡率には大きな差が出ています。何がこうした差をもたらしているのですか。

「単一の要因では説明ができない。少なくとも5つの理由があると考えています」

「第一に、海外からの渡航をどれぐらい制限できたか。第二に、感染者に対する隔離をどの程度行っているか。第三に、感染者の行動をたどり、感染者と接触した人々も強制的に隔離しているか。ベトナムで感染拡大が抑えられているのは、それを行っているからでしょう」

「そして第四に、人口密度が高いかどうか。米国でも、人口密度が高いニューヨーク市では深刻な状況になっていますが、密度が低いモンタナ州ではさほどの感染者は出ていません。第五に社会的な接触の頻度。韓国における最悪の感染拡大は、人々の来訪を許した教会から起こりました。イスラエルでは、『ウルトラオーソドックス』と呼ばれるユダヤ教の戒律を厳格に守っているコミュニティーで大規模な集団感染が起きています」

——日本の新型コロナ対策をどう評価しますか。

「現時点で日本の感染者・死者が少ないのは、早期に海外からの渡航制限をしたからでしょうが、感染拡大のペースが止まらないのは、政府の対策の弱さが原因です。多くの国々のロックダウンの基準は、日本よりもはるかに厳しい」

——2019年の著書『危機と人類』で、国家的危機の結果を左右する12の要因を挙げています。新型コロナ危機にあたって重要なポイントは何ですか。

「第一は、国家が危機的な状況にあるという事実、それ自体を認めること。危機の認識がなければ、解決へと向かうことはできません。中国は新型コロナが蔓延(まんえん)し始めた当初、危機自体を認めなかったためにパンデミックを防げなかった。米国でもミシシッピ州やテキサス州、フロリダ州の知事、そしてトランプ大統領はパンデミックを否定し、それが裏目に出ました」

「第二は、自ら行動する責任を受け入れること。もし政府や人々が祈るだけで行動しなければ、問題は解決できません。中国は自らの責任を受け入れ、厳しい対策に踏み切るまでに1カ月を要しました。トランプ大統領は米国がなすべきことをする責任をいまだに認めず、中国批判に多くの時間を費やしています」

「第三は、他国の成功例を見習うこと。第四は他国からの援助を受けること。そして最も重要な第五のポイントは、このパンデミックを将来の危機に対処するためのモデルとすることです」

——韓国の対策は世界的に高く評価されていますが、日本では見習ったり、支援を求めたりする動きは鈍いままです。

「欧州には『有益な助言であれば、たとえそれが悪魔からのものであっても従うべきだ』という言葉があります。安倍政権が韓国を見習うのを嫌がっているのが事実なら、北朝鮮の金正恩（キムジョンウン）朝鮮労働党委員長は幸せな気持ちになるでしょう」

「私から安倍政権への助言は『韓国が嫌ならベトナムでもオーストラリアでも他の国で

もいい。対策に成功している国を見習って、早期に完全なロックダウンを実行すべきだ』ということです」

世界レベルのアイデンティティーを

――『銃・病原菌・鉄』では、感染症が人類の歴史に大きな影響を与えてきたと指摘しています。新型コロナも現代文明に変化をもたらしますか。

「このパンデミックは、私たちに『世界レベルのアイデンティティー』をもたらす可能性があります。私たちには『米国人』『日本人』といった国レベルのアイデンティティーはあっても、『この世界の一員』というアイデンティティーはありません。世界中の人々がその存在を認識し、かつ脅威となるような危機が、今まで存在しなかったからです」

「気候変動問題で人がすぐに死ぬことはありませんが、新型コロナは違う。誰にとっても明らかな脅威です。私たちがなすべきことは、新型コロナが全世界への脅威だと認識し、このパンデミックを通じて世界レベルのアイデンティティーを作り上げること。それができれば、この悲劇から望ましい結果を引き出せます。気候変動や資源の枯渇、格差、そして核兵器の問題の解決に向けて協力することも可能になるでしょう。それが先にお話しした『新型コロナ問題を将来の危機に対するモデルとする』ことの真意です」

――しかし、現状では逆に、米国と中国の不和が深刻になりつつあります。

「現実に起きているのは『対立と協調の混合』です。米国が中国への非難を強める一方、米国で使われているマスクの大半は中国から輸入されています。科学の世界では米中欧の研究者たちが共同論文を続々と発表しています。対立と同時に協力の兆しも至る所にあるのです」

「現時点では、世界レベルのアイデンティティーが実現するかどうかはわかりません。私は慎重な楽観主義者として『実現する確率は51%、実現しない確率は49%』と予測しています」

――人類と新型コロナとの闘いの帰趨(きすう)に、何が大きな影響を与えますか。

「やはり、政治的なリーダーシップです。例えば米国にはさまざまなリーダーがいます。私が住むロサンゼルスのエリック・ガルセッティ市長は、勇気と有能さを備えたリーダーで、必要とあらば、人々の不評を買う政策でも実行をためらいません。カリフォルニア州の知事も素晴らしいですが、フロリダ州の知事はひどいし、ミシシッピ州の知事はさらに悪い。そして私たちの大統領は最悪です。団結こそが必要な時に、彼は世界中に不統一、不和をばらまいているのです」

「(2020年)11月の大統領選は非常に重要です。すでに、共和党が優勢な州や自治体では、有権者登録にさまざまな制約を課して、反対派の人々の投票を妨げようとする動きがあります。トランプ氏は今後、そうした動きをさらに強めるでしょう。彼が再選されれば、米国における民主主義は終わるかもしれない、と危惧しています」

(2020年5月8日配信、聞き手・太田啓之)

インタビュー

イアン・ブレマー

Ian Bremmer

国際政治学者

国家と経済の役割と関係が変化 第4次産業革命が加速

感染拡大は、米国の国力低下と中国の台頭、さらには世界各地で分断が広がる中で起きている。パンデミックを経て、国際社会は、日本はどのように変化をするのか。

1969年生まれ。シンクタンク・フーバー研究所などを経て、世界の政治リスクを分析する調査会社「ユーラシア・グループ」を98年に設立。現在も社長を務める。著書に『「Gゼロ」後の世界』『対立の世紀』など。

リーダーは「トレードオフ（妥協点）」の見極めを

――「Gゼロ」の世界がパンデミックに見舞われました。

「第2次大戦以来のグローバル危機です。（医療物資の）供給網、人やモノの移動の管理、ワクチン開発、経済刺激策などあらゆる面で国際連携がフル回転すべきです。なのに、だれもリーダーシップをとらない。G7もG20も機能しない。実に恐ろしいです」

「希望があるとすれば、世界経済を牽引する中国が再始動しつつあることや、欧米のIT企業が危機下でも機能していることです。おかげで、在宅中も商品の宅配やサービスを享受でき、経済の完全停止を免れています」

――米国の一部の州では経済活動再始動をめぐって論議が広がっています。

「9・11の同時多発テロの教訓は、物事の一つの側面だけを見て判断してはならないことです。米国はあのとき、対テロに突っ走った結果、アフガニスタンで膨大なカネを費やすことになりました。今回、経済活動の休止による代償は甚大です。一方、経済活動を再開すれば感染が再び広がり、さらに人命が失われる危険があります。リーダーに問われるのは『どちらか』の選択ではなく、『トレードオフ（妥協点）』の見極めです」

――パンデミックを克服すれば、世界は元の繁栄に戻れるのでしょうか。

「ワクチンの完成に1年半かかるとされます。それを世界中に届ける必要があります。接種のための啓発活動も必要です。経済が復興し、人々が安心して旅行できるようになるまで3年はかかるでしょう」

「ですが、それでも今までとは全く違う世界になります。物流は在庫を抑える『ジャスト・イン・タイム方式』から、危機に備えて在庫を確保する『ジャスト・イン・ケース方式』に転換する。経済活動は世界に広がるグローバル展開から、消費者に近いローカルなものに移行するでしょう。人の作業がなくても済むオートメーション（自動化）も進み、世界の経済人が将来のものとして予想していた第4次産業革命が一気に到来します」

――大規模な経済政策で政府の存在感も強まっています。

「安全網の担い手としての政府の存在感は増すでしょう。同時に、公的支援と引き換えに民間企業に対する政府の介入も強まる可能性があります。たとえば『自国民の雇用を優先せよ』といった具合です」

「見逃せないのは、パンデミックの最中に情報やモノを届けてきたＩＴ企業の役割です。冷戦時代の軍産複合体のように、政府とＩＴ企業の連携が進むでしょう」

――政治的な影響も大きそうです。

「大勢の人が仕事を失いますが、しわ寄せは特に労働者層や中間層に重くのしかかり、経済格差につながります。世界的に経済が順調だった過去10年間ですら、ポピュリズムやナショナリズムの伸長が見られました。パンデミック後の急激な変化はこれらがさらに加速し、エスタブリッシュメント（既得権益層）への反発が盛り上がるでしょう。特に途上国では、中国のような強権モデルに魅力を感じる層が増える可能性もあります」

米中関係悪化の経済的な余波に備えよ

――世界の秩序も変わるでしょうか。

「国家が台頭する一方で、国際機関などグローバルな統治システムが弱体化する。これは、国際社会がリーダーシップを欠き、各国間の連携が取れないことの表れです」

「新型コロナ問題の対応で世界保健機関（ＷＨＯ）の弱さが露呈しました。ただ、これは『中国に甘い』のが問題なのではなく、加盟国に厳しくものを申せない事なかれ主義が、中国につけこまれる結果を招いたのです。もっとも、ＷＨＯの役割は重要で、存在意義を否定すべきではありません」

——米国のトランプ政権が、パンデミックを機に中国への批判を強めています。

「米国では中国の初期対応をめぐる調査が始まり、『雇用を中国から取り戻せ』という圧力も強まるでしょう。トランプ大統領は、（２０２０年）11月の大統領選を見据えて、『アメリカ・ファースト』をさらに強く打ち出すはずです。しかし、米中が互いに敵意を募らせ、相互依存を減らすのは、国際秩序の安定にとってきわめて危険です」

「米中の関係悪化によって地政学的に真空状態が生まれる事態は、中国にとっても好ましくありません。ただ、優位な面もあります。世界の注目は政治体制や人権の問題より、

『シャットダウンから脱却できない欧米』と『経済活動を再開する中国』の対比に移っているためです。新型コロナと効果的に戦う模範モデルとみなされる利益を享受できます」

――強権国家の方が、パンデミックに対処できるということでしょうか。

「確かに、監視国家の方が効果的な危機対応ができるでしょう。だが、日本や主要な欧州諸国などの先進国はそれほど中国になびきません。むしろ気がかりなのは、ブラジルなどの新興国です。医療制度が貧弱で、国際通貨基金（IMF）などから十分な財政支援を得られていません。1年以内に、新興国発の金融危機が起きる懸念があります」

――日本の新型コロナへの対応をどう見ますか。

「緊急事態宣言や外出制限の遅れで安倍晋三首相が批判されています。ただ、他の先進国と比較すれば、日本は社会的に安定し、経済格差も小さい。パンデミックの影響は甚大ですが、統治システムが危機に陥るほどだとは思えません。むしろ日本が心配すべきは、米中関係悪化の経済的な余波です」

（2020年4月29日配信、聞き手・沢村亙）

インタビュー

大澤真幸

Masachi Osawa

社会学者

苦境の今こそ国家超えた「連帯」を実現させる好機

世界中の人々が同じ危機に直面しており、誰にとっても逃げ場はない。人類は「運命共同体」であることを、いや応なく実感させられた。この苦境を乗り越えることはできるのか。

おおさわ・まさち／1958年生まれ。2007年に『ナショナリズムの由来』で毎日出版文化賞を、15年に『自由という牢獄——責任・公共性・資本主義』で河合隼雄学芸賞を受賞。著書に『日本史のなぞ』など。

グローバル経済が危機を招いた

——ついに日本政府も緊急事態を宣言し、世界中の都市から人影が消えつつある。誰にとっても想定外の事態をどう捉えますか。

「ウイルス自体は文明の外からやってきた脅威ですが、それがここまで広がったのは、『グローバル資本主義』という社会システムが抱える負の側面、リスクが顕在化したからだと考えています」

「未知の感染症は野生動物が主な宿主です。世界中の原生林が伐採され、都市化された結果、野生動物との接触機会が増え、病原体をうつされるリスクも高まった。英国の環境学者ケイト・ジョーンズは『野生動物から人間への病気の感染は、人類の経済成長の隠れたコストだ』と指摘しています」

「新型コロナウイルスの深刻な特徴は、感染の広がるペースがあまりにも速いことです。2002~03年に中国南部から広がったSARS（重症急性呼吸器症候群）とはまるで違う。病原体自体の性質の違いもありますが、中国がグローバル資本主義を牽引し、国内外への人の移動が飛躍的に増えたことが確実に影響しています」

――経済活動が地球規模に広がったことが危機を招いた、と。

「『人新世』という言葉がある。人類の活動が地球環境を変える時代が訪れた、という意味です。人類の力が自然に対して強すぎるため、気候変動で大災害が頻発する。それにより私たちはかえって、自然への自分たちの無力を思い知らされる逆説が生じている。今回のパンデミックも、私たちが自然の隅々まで開発の手を広げたことで、未知の病原体という『自然』から手ひどい逆襲を受けている。両者は同種の問題です」

「封じ込め」では解決しない

――現行の感染症対策をどう評価しますか。

「各国政府の主な対策は『多層的な封じ込め』です。個人は外出しない。都市や地域を封鎖する。国レベルで渡航制限をする。短期的には有効だし必要ですが、問題の解決にはつながりません」

——なぜですか。

「社会や経済のシステムが国レベルで完結していた時代であれば、『封じ込め』は抜本的対策になりえた。だけど、現代の日本で感染拡大を抑えられても、世界中に感染が広がっている限り、封鎖による経済的打撃から逃れる方法はなく、五輪も開催できない。一国レベルで感染問題が解決しても、その国が幸せになるわけではない。『〇〇ファースト』は、ウイルスの脅威には通用しません」

「現代の世界各国は人体の各細胞のように依存しあって生きています。細胞が孤立すると死んでしまうように、封じ込めを続けると、国の存続自体が危うくなる」

「現在、すでに『封じ込め』では対応しきれない崩壊が世界で進みつつあります。医療システムの崩壊、経済システムの崩壊、そして人々のメンタル面の崩壊です」

——「メンタル面の崩壊」とは何ですか。

「たとえば、各国の医療現場で人工呼吸器の絶対数が不足し、高齢の重症患者と若い重症患者、どちらに呼吸器を優先的に装着するか、という選択を迫られる事態が多発しています。人工呼吸器を若者に回さざるを得ないとの判断。それは苦渋の決断で、社会を維持していく優先順位では、ある意味で正しいとも言える。しかし、その決断は『最も弱い立場にある人こそ、最優先で救済する』という、人間倫理の根幹をないがしろにしてしまうおそれがあります」

「そういう判断を重ねることで、倫理的なベースが侵され、『弱い人を見捨てても仕方ない』という感覚が広がり定着してしまう可能性がある。パンデミックの長期化・深刻化は、人心の荒廃まで招きかねません」

――中国は強権的な方法で感染の抑え込みに成功しつつあるように見えます。

「ITで個々人の健康状態や移動を把握し、コントロールできる『超管理社会』になれば、感染の広がりは抑えられる。けれども、中国が『新たな感染者がゼロになった』と公表しても多くの人が『本当かな』と思っています。上層部が数字を握りつぶしているから、というだけではなく、現場から正確な数字が上がっていない可能性もあるからです」

「中国の官僚たちは中国共産党、直接には自分の上司に生殺与奪の権を握られており、幹部の不興を買う感染者の増加は報告したがらない。一方で、人民に対して不利益なことをしても、自らの将来には関係がない」

——昨年、ウイルスに関わる情報をいち早くSNSで発信した武漢の医師を、現地の警察は、デマで秩序を乱したとして訓戒処分にしました。その後、医師は治療活動で感染し、死亡しています。

「政府が情報を隠そうとしたため、感染拡大を防げなかった。人民に責任を負わない政府では、効果的な感染対策はできません」

「ただし、感染拡大を防ぐためにITやビッグデータを活用すること自体は許されるべきです。人類を挙げて感染症に立ち向かう時に、自ら手足を縛ることはない。権力によるデータ悪用を危惧する声もありますが、情報の民主的管理を徹底して対応するべきです」

国家を上回る国際機関の設立を

――「封じ込め」に代わる対策はありますか。

「感染症に限らず、気候変動など、人類の持続可能性を左右する現代の大問題には『国民国家のレベルでは解決できず、国家のエゴイズムが問題を深刻化させてしまう』という共通点があります。気候変動を食い止めるには二酸化炭素の排出を抑制する国際協力が不可欠ですが、米国が国際協定から離脱することで水泡に帰してしまう。新型コロナウイルスに関する中国の情報隠蔽(いんぺい)も同様です」

「社会システム自体がグローバル化し、解決には地球レベルでの連帯が必要なのに、政策の決定権は相変わらず国民国家が握っている。それは私たちが、現時点では自国に対して一番レベルの高い連帯感・帰属意識を抱いているからです。それを超える連帯を実現させなくてはいけない」

「例えば、現在のＷＨＯ(世界保健機関)は、総会で条約や協定を作っても、加盟国に対する強制力はありません。WHOよりもはるかに強い感染対策をとれる国際機関を設立することが必要です。新型感染症対策では、その機関による調査・判断・決定が、各国政府の力を上回る力を持つ。各国の医療資源を一元的に管理し、感染拡大が深刻な地域に集中的に投入する。人類が持つ感染症への対抗力を結集し、最も効率的に使えるようにするのです」

――これまでさまざまな分野で「国家を超える連帯」が訴えられてきましたが、ほとんど実現していません。「絵に描いた餅」では？

「新型コロナウイルス問題がそうした膠着(こうちゃく)状態を変える可能性があります。第一に、気候変動は非常に長いスパンで影響が表れるため、対応も進みにくかったが、ウイルスはあっという間に世界中に広がり、一人ひとりの命を直接脅かしています。気候変動問題の存在を否定したトランプ米大統領も、新型コロナウイルスについては『問題ない』との自説をすぐに引っ込め、真剣に取り組まざるをえなくなった。非常時には歴史の流れが一気に加速されます」

「第二に、政治的・経済的に恵まれた人々は、格差や貧困、海水面の上昇など従来の社会問題から逃れられたが、新型コロナウイルスには多くの著名人や政治家も感染しています。『民主的で平等な危機』であり、社会の指導層・支配層もわがこととせざるを得ない。その分、思い切った対策が進む可能性がある」

「第三に、今回のパンデミックが終息したとしても、新たな未知の感染症が発生し、広がるリスクは常にある。日常生活の背後に『人類レベルの危機』がいつ忍び寄るかわからないことを、私たちは知ってしまった。それが私たち自身の政治的選択や行動に大きな影響を与えるかもしれません」

——確かに、英国のブラウン元首相も3月末に、「一時的な世界政府の樹立」を呼びかけました。数カ月前には考えられなかったことです。ただ、現時点では、世界は「連帯」よりも「分断」へと向かっているようにも見えます。

「ポジティブな道とネガティブな道、どちらに進むかという岐路に私たちは立っています。持続可能な生存には『国を超えた連帯』という道以外あり得ませんが、危機的な状況ではかえって各国の利己的な動きが強まりかねません」
「人間は『まだなんとかなる』と思っているうちは、従来の行動パターンを破れない。破局へのリアリティーが高まり、絶望的と思える時にこそ、思い切ったことができる。この苦境を好機に変えなくては、と強く思います」

（2020年4月8日配信、聞き手・太田啓之）

寄稿

藤原辰史

Tatsushi Fujihara

歴史学者

パンデミックの激流を生き抜くためには人文学の「知」が必要

感染拡大下では、経済成長や教育勅語的精神主義に重きを置いた思考は意味がない。これに抗う人文学の「知」が危機を乗り越える糧となる。歴史や言葉の力をどう生かすか。

ふじはら・たつし／1976年生まれ。京都大学人文科学研究所准教授。専門は農業史・環境史。2013年『ナチスのキッチン』で河合隼雄学芸賞、19年『分解の哲学』でサントリー学芸賞、『給食の歴史』で辻静雄食文化賞。

「ルイ16世の思考」は危機の時代に使いものにならない

ワクチンと薬だけでは、パンデミックを耐えられない。言葉がなければ、激流の中で自分を保てない。言葉と思考が勁(つよ)ければ、視界が定まり、周囲を見わたせる。どこが安全か、どこで人が助けを求めているか。流れとは歴史である。流れを読めば、救命ボートも出せる。歴史から目を逸(そ)らし、希望的観測に曇らされた言葉は、激流の渦にあっという間に消えていく。

宮殿で犬と遊ぶ「ルイ16世」の思考はずっと経済成長や教育勅語的精神主義に重心を置いていたため、危機の時代に使いものにならない。IMFに日本は5・2%のマイナス成長との予測を突きつけられ、先が見通せず右往左往している。それとは逆に、ルイとその取り巻きが「役に立たない」と軽視し、「経済成長に貢献せよ」と圧力をかけてきた人文学の言葉や想像力が、人びとの思考の糧になっていることを最近強く感じる。

「長期戦に備えよ」――歴史が伝えること

歴史の知はいま、長期戦に備えよ、と私たちに伝えている。1918年から20年まで足掛け3年2回の「ぶり返し」を経て、少なくとも4千万人の命を奪ったスペイン風邪のときも、当初は通常のインフルエンザだと皆が楽観していた。人びとの視界が曇ったのは、第1次世界大戦での勝利という疫病対策より重視される出来事があったためだ。軍紀に逆らえぬ兵士は次々に未知の疫病にかかり、ウイルスを各地に運び、多くの者が死に至った。

長期戦は、多くの政治家や経済人が今なお勘違いしているように、感染拡大がおさまった時点で終わりではない。パンデミックでいっそう生命の危機にさらされている社会的弱者は、災厄の終息後も生活の闘いが続く。誰かが宣言すれば何かが終わる、というイベント中心的歴史教育は、二つの大戦後の飢餓にせよ、ベトナム戦争後の枯葉剤の後遺症にせよ、戦後こそが庶民の戦場であったという事実をすっかり忘れさせた。第1次世界大戦は、戦後の飢餓と暴力、そして疫病による死者の方が戦争中よりも多かったのだ。

スペイン風邪のとき、日本の内務省は貧困地区の疫病の悲惨を観察していた。1922年に刊行された内務省衛生局編『流行性感冒』には、貧困地区は医療が薄く、事態が深刻化しやすいことが記してある。神奈川県の事例を見ると、「日用品殊ニ食料品ノ騰貴ニ苦メル折柄本病ノ襲激(ママ)ニ因リ一層悲惨ナルモノ有リ」とある。

封鎖下の武漢で日記を発表し、精神的支えとなった作家の方方(ファンファン)は、「一つの国が文明国家であるかどうかの基準は(中略)ただ一つしかない。それは弱者に接する態度である」と述べたが、これは「弱者に愛の手を」的な偽善を意味しない。現在ニューヨーク市保健局が毎日更新する感染地図は、テレワーク可能な人の職場が集中するマンハッタンの感染率が激減する一方で、在宅勤務不可能な人びとが多く住む地区の感染率が増加していることを示している。

これが意味するのは、在宅勤務が可能な仕事は、「弱者」の低賃金労働に支えられることによってしか成立しないという厳粛な事実だ。今の政治が医療現場や生活現場にピントを合わせられないのは、世の仕組みを見据える眼差し（まなざし）が欠如しているからである。研究者や作家だけではない。教育勅語と戦陣訓を叩（たた）き込まれて南洋の戦場に行き、生還後、人間より怖いものはないと私に教えた元海軍兵の祖父、感染者の出た大学に脅迫状を送りつけるような現象は関東大震災のときにデマから始まった朝鮮人虐殺を想起する、と伝えてくれた近所のラーメン屋のおかみさん、コロナ禍がもたらしうる食料危機についての英文記事を農繁期にもかかわらず送ってくれる農家の友人。そんな重心の低い知こそが、私たちの苦悶（くもん）を言語化し、行動の理由を説明する手助けとなる。

人文学の「知」を軽視する政権

これまで私たちは政治家や経済人から「人文学の貢献は何なのか見えにくい」と何度も叱られ、予算も削られ、何度も書類を直させられ、エビデンスを提出させられ、そのために貴重な研究時間を削ってきた。企業のような緊張感や統率力が足りないと説教も受けた。

だが、いま、以上の全ての資質に欠け事態を混乱させているのは、あなたたちだ。長い時間でものを考えないから重要なエビデンスを見落とし、現場を知らないから緊張感に欠け、言葉が軽いから人を統率できない。アドリブの利かない痩せ細った知性と感性では、濁流に立てない。コロナ後に弱者が生きやすい「文明」を構想することが困難だ。

危機の時代に誰が誰を犠牲にするか知ったいま、私たちはもう、コロナ前の旧制度(アンシャン・レジーム)には戻れない。

(2020年4月26日配信)

インタビュー

中島岳志

Takeshi Nakajima

政治学者

「声」なき政治に国民の怒りが表出 政治は大きな変化を

突如打ち出した学校の一斉休校、布マスク配布、著名人とのコラボを狙った動画投稿……。首相の視線はきちんと国民に向けられているか。危機下でリーダーはどうあるべきか。

なかじま・たけし／1975年、大阪生まれ。東京工業大学教授。専門は南アジア地域研究、近代日本政治思想史。2005年『中村屋のボース』で大佛次郎論壇賞、アジア・太平洋賞大賞受賞。著書に『親鸞と日本主義』など。

長年聞いていない首相の「声」

なんと言うか、国民と同じ地平に首相は立っていないと見えてしまうのです。

決定的だったのは、コロナ危機を受けた最初の記者会見（2月29日）。苦しみ抜いてイベントを中止した人がいたり、生活の不安に押しつぶされそうになっていたりする人が多く出てきた頃でした。首相は同じ苦しみの地平に立っている姿を見せ、連帯を呼びかけるべきでしたが、プロンプター（原稿映写機）を見ながらの棒読みで、記者の追加質問も打ち切った。

僕は安倍首相の「声」を長年聞いていないと思っています。つまり、官僚が書いた原稿をそのまま読むわけです。それが国民にも見えてしまっている。

逆に、今回目立ったリーダーに共通するのは「弱さ」。ドイツのメルケル首相と米ニューヨーク州のクオモ知事です。メルケル氏がなぜあんなに共感を得たかというと、「私も心配。私も弱い」という視点から連帯を訴えたからです。演説でも、感染者や死者の数字について「これは数字じゃない。具体的なお父さんであり、お母さんであり、おじいちゃんの話である」と語る。クオモ氏も同様です。自分たちの痛みと同じところに立っていると思える、弱さが見えるリーダーが共感されているのです。弱さを隠さない人間こそ、強さを持っている。首相は自らの弱さと向き合い「生の声」を届けるべきです。

星野源さんの楽曲とともにSNSに投稿した動画も典型です。だだ滑りしている。そんなこと誰も求めていない。広い世の中の声を聞くことができていないと感じます。

世界観や文明観の大きな変化が必要

僕がまずいと思ったのは、首相が2月に行った休校要請でした。あれって首相の権限じゃないですよね。決定権は自治体の教育委員会にある。しかし、首相の要請は実質上の命令として機能し、99%が休校になりました。首相の行為は法外な行為に思えました。

一方で、4月に緊急事態宣言が出る前後、リベラル陣営からも「場合によってはロックダウン（都市封鎖）だ」と声が出ました。これも法を逸脱する要求です。

いま、国家総動員法が成立した1938年の状況がよくわかります。当時、一番「やれー」と言ったのが無産政党の社会大衆党でした。「日中戦争が泥沼化し、みんなで一体化して危機に対応しないといけないのに、政府は何をやっているんだ」と。これが推進力になって、近衛文麿（このえふみまろ）内閣はこの法案を通し、翌々年には大政翼賛会につながっていきます。「まどろっこしい」という政府批判が、強権的な権力の発動を誘引していったのです。

今回、法的根拠のない首相による休校要請が普通に起こり、ロックダウンのような発言も出てくる。これは法律に基づいていない権力的行為なので危ない。野党はこうした法外の権力発動の問題を指摘していかないといけない。

僕はコロナ後の政治の大きなパラダイム変化があるべきだと思っています。

これだけの感染拡大を経験し、私たちは今後どう対応していくべきなのか。世界観や文明観の大きな変化がいると思う。

今回のコロナは、全世界的に降りかかり、人類すべてが命の危機にさらされ、そのリスクに全体でどう向き合っていくかという問題です。検察庁法改正案をめぐっても、普段は政治に無関心な層が怒りの声を上げ始めている。これは一つの大きな変化の潮流かもしれない。この層が動くことを自民党は一番恐れているはずです。ただ、野党も「コロナ後の選択肢」を示しきれていない。重要なのは、コロナ以前の状態に戻ろうとするのではなく、希望ある新たな世界像に向けて歩み始めることです。

（2020年5月27日配信、聞き手・小野太郎）

インタビュー

藻谷浩介

Kosuke Motani

地域エコノミスト

「応仁の乱」と共通する転換点 地方からの逆襲を

新型コロナウイルス禍は国と地方の役割分担のあいまいさを浮き彫りにした。休業要請をめぐる両者の争いで混乱が生じることもしばしばあった。「地方自治」の役割とは。

もたに・こうすけ／1964年生まれ。日本総合研究所主席研究員。コロンビア大学ビジネススクール留学、日本経済研究所出向などを経て12年より現職。著書に『デフレの正体』『里山資本主義』（共著）など。

国と地方、どちらにも任せられない

まるで「応仁の乱」後の時代みたいだと思いませんか？　守護大名や公家は京の都にこもって内輪もめや前例踏襲に明け暮れ、地方の守護代や国人（こくじん）がのし上がるまで国家権力には空白が続く――。守護大名を国会議員、公家を官僚に、守護代を知事、国人を市町村長に置き換えてみればどうでしょう。国と地方の関係は、いままさに転換点なのかもしれない。

今回の緊急事態宣言は、国と自治体の権限や責任の仕分けが不明確です。知事の判断でできるはずだった外出自粛や休業の要請も、基本的対処方針の改定で国が関与する余地が残った。現場を知らない国と、対応の力がばらつく地方。どちらにも任せきれない実態が、対処方針に反映されていると思います。

意欲ある首長が求めているのは財源であって、国の干渉ではない。一方で「指針がないと動けない」と国に頼りがちな首長がいるのも事実。自身の判断ミスによる責任問題を恐れるからでしょう。だが、首長には一歩踏み込む覚悟を求めたい。失敗した時は、結果責任を負う。そのために有権者から直接選挙で選ばれているのですから。

創意工夫を打ち出す地方のリーダー

私は30年近く全国の市町村を訪れ、数多くの首長を見てきました。旧態依然の地域ボス、人気取りだけの首長もいます。でも、使命感と責任感を持ち、現場の課題に創意工夫で対応するリーダーは増えています。

北海道の鈴木直道知事は、国が指針を示す前に独自の「緊急事態宣言」を出した。大阪府の吉村洋文知事は、軽症者のホテル療養や休業解除などの「大阪モデル」で国に先行した。和歌山、山形両県も国より積極的にＰＣＲ検査を実施。独自の対策を打ち出す市区町村も多いのです。

財源も権限も限られる中で、国に先んじて対策を打ち出すのは容易ではない。ただ、優れた取り組みは、国や他の自治体がまねをしていきます。全国一斉休校は不要だったと私は考えますが、北海道独自の休校要請を国が後追いする形となりました。また、国は当初「休業補償はしない」とかたくなでしたが、東京都の小池百合子知事が休業協力事業者への支援金を決めたことで、同様の協力金が各地に広がっていきました。

「全国一律」に限界

感染状況は地域ごとに日々変わり、全国一律の対応には限界があります。国が全世帯に配布した「アベノマスク」もそう。もし「都道府県に財源を出すので、あとはよろしく」となっていれば、多くの自治体は布マスクではなく、病院に医療資材が行き届くように使ったでしょう。数百億円の無駄遣いも避けられた。

とにかく、まずは現場を預かる首長に任せることです。すると、こんな批判も出てきます。「自治体まかせでは、地域格差が生じるじゃないか」と。

たしかに地域によって差は生じます。でも、地域差には「善しあし」がある。水準以下の対応しかできない首長や地方議員を是正するのは、国ではない。有権者自身が選挙で正すべきであり、それが「地方自治」です。もちろん、財政力の差が命の軽重の差につながらないよう、財源手当ての公平性は絶対に必要です。

全国紙の自治体チェックは努力不足

優れた自治体は、どんどん伸びていけばいい。今回のコロナのように急を要する場合、国による一律の施策や、制度設計の完璧さを待てばスピード感を失う。まずは首長の裁量に委ね、問題があれば見直す。このトライ・アンド・エラーの繰り返しです。ただし裁量を増やせば、権力濫用や不正が生じるおそれもある。そのためにも透明性ある情報開示の仕組みは欠かせないし、メディアによる監視も不可欠です。

特に全国の市町村を網羅的に取材できる全国紙は、自治体を客観的に比較、検証し、監視、評価する重要な責務があります。でも、その努力は不足していると言わざるを得ません。「メディアは批判ばかりだ」という言論や圧力に屈せず、自治体、首長のチェックに努めてもらいたい。

地方創生の観点から見た今回のコロナ危機は、東京への過度な一極集中を是正し、ライフスタイルを変える好機です。意欲的な自治体には、「鶏口となるも牛後となるなかれ」を実践する優秀なスタッフもいます。中央省庁からの若手出向者の中にも、国より制約の少ない役場で力を発揮する人が多い。現場感覚の薄い国会や中央官庁よりも、地方自治に手応えを感じる人材がもっと増えていけばいい。応仁の乱後の戦国時代のように、地方の現場で鍛えられた首長や役人が活躍し、やがて都の公家政治を一掃する――。そんな展開をコロナ後に期待しています。

（2020年6月3日配信、聞き手・菊地直己）

インタビュー

山本太郎

Taro Yamamoto

医学・国際保健学者

病原体の撲滅は「行き過ぎた適応」集団免疫の獲得を

社会と経済に多大な負担を与える感染症。それは「撲滅するべき悪」なのか、それとも共存していくべきものなのか。人類と感染症の歴史をひもときつつ答えを探る。

やまもと・たろう／1964年生まれ。長崎大学熱帯医学研究所教授。専門は医学、国際保健学。京都大学助教授、外務省国際協力局を経て現職。著書に『感染症と文明』『抗生物質と人間』『ハイチ　いのちとの闘い』など。

写真／著者提供

病原体も共生を目指す

——私たちは「感染症は自然からの脅威であり、人類は文明や科学の力で感染症と闘ってきた」というイメージを持っています。

「それは一面の真実ですが、巨視的には『文明は感染症のゆりかご』として機能してきたことも確かです。現在知られる感染症の大半は、農耕以前の狩猟採集時代には存在していなかった。人間は100人程度の小集団で移動を繰り返し、お互いの集団は離れていた。集団内で新型コロナウイルスのような感染症が発生しても、外には広がれず途絶えてしまう」

「感染症が人間の社会で定着するには、農耕が本格的に始まって人口が増え、数十万人規模の都市が成立することが必要でした。貯蔵された穀物を食べるネズミはペストなどを持ち込んだ。家畜を飼うことで動物由来の感染症が増えた。はしかはイヌ、天然痘（てんねんとう）はウシ、インフルエンザはアヒルが持っていたウイルスが、人間社会に適応したものです」

――文明の成立とともに人類は流行病の苦しみを背負ったわけですか。

「私たちは感染症について『撲滅するべき悪』という見方をしがちです。だけど、多くの感染症を抱えている文明と、そうではない文明を比べると前者の方がずっと強靭(きょうじん)だった。16世紀、ピサロ率いる200人足らずのスペイン人によって南米のインカ文明は滅ぼされた。新大陸の人々は、スペイン人が持ち込んだユーラシア大陸の感染症への免疫を、まったく持っていなかったからです」

「一方でアフリカの植民地化が新大陸ほど一気に進まなかったのは、さまざまな風土病が障壁になったからです。近代西洋医学は植民地の感染症対策として発達した面が強い」

――多くの感染症を抱えている方が文明は安全、ということですか。

「人類は天然痘を撲滅しましたが、それにより、人類が集団として持っていた天然痘への免疫も失われた。それが将来、天然痘やそれに似た未知の病原体に接した時に影響を与える可能性があります。感染症に対抗するため大量の抗生物質を使用した結果、病原菌をいかなる抗生物質も効かない耐性菌へと『進化』させてしまった実例もある。病原体の撲滅を目指すのは感染症に対する『行き過ぎた適応』ではないか」

「多くの感染症は人類の間に広がるにつれて、潜伏期間が長期化し、弱毒化する傾向があります。病原体のウイルスや細菌にとって人間は大切な宿主。宿主の死は自らの死を意味する。病原体の方でも人間との共生を目指す方向に進化していくのです。感染症については撲滅よりも『共生』『共存』を目指す方が望ましいと信じます」

「一方で、医師としての私は、目の前の患者の命を救うことが最優先となります。抗生物質や抗ウイルス剤など、あらゆる治療手段を用いようとするでしょう。しかし、その治療自体が、薬の効かない強力な病原体を生み出す可能性もある。このジレンマの解決は容易ではありません」

流行が終わるためには

――現在、大きな問題となっている新型コロナウイルスについても「共存」を目指すべきですか。

「歴史的には人口急増と交通網発展は、感染症拡大をもたらす最大の要因です。グローバル化が進む現代は感染力の強い病原体にとって格好の土壌を提供する。流行している地域によって状況があまりにも違うので、新型コロナウイルスの真の致死率は明らかではありません。しかし、世界中に広がっていく中でさらに弱毒化が進み、長期的には風邪のようなありふれた病気の一つとなっていく可能性があります」

「一方で、逆に強毒化する可能性も否定できない。原因ははっきりしませんが、1918～20年に流行したスペインかぜはそうでした」

――最終的にウイルスが広がるのを防げないのであれば、感染拡大を防ぐ努力は無意味ではないですか。

「それは違います。第一に、感染が広がりつつある現時点では、徹底した感染防止策をとることで、病気の広がる速度を遅くできます。患者の急増を防ぐことで医療にかかる負荷を軽減し、より多くの患者を救えます」

「さらに言えば、病原体の弱毒化効果も期待できる。新たな宿主を見つけづらい状況では『宿主を大切にする』弱毒の病原体が有利になるからです。感染防止策は『ウイルスとの共生』に至るまでのコストを大きく引き下げます」

「集団内で一定以上の割合の人が免疫を獲得すれば流行は終わる。今、目指すべきことは、被害を最小限に抑えつつ、私たち人類が集団としての免疫を獲得することです」

「現在、気になるのは発展途上国でのウイルスの広がりです。エイズの場合も当初、先進国での蔓延(まんえん)にばかり目が向いていたが、アフリカではすでにすさまじい勢いで感染が広がっていたという事実があります。今回も同様のことが起きかねません」

——14世紀欧州のペスト流行は、封建社会から近代市民社会への移行をもたらしたと聞いています。新型コロナウイルスも社会構造に影響を与えるのでしょうか。

「当時の欧州ではペストで働き手が急減したことで、賃金が上昇し、農奴制の崩壊が加速。身分を超えた人材の登用も行われるようになりました。ペストに無力だった教会の権威は失われ、代わって国家の立場が強くなった。こうした変化はペストの流行がなくてもいずれ実現したでしょうが、その時期が大幅に早まった。新型コロナウイルスも同様に、歴史の流れを加速するかもしれません」

「今回の感染拡大が100年前に起きていれば、『今年は重症の風邪が多いな』という程度で、新型ウイルスの存在さえ気づかずに終わっていたかもしれない。だけど、現代では医学・疫学の発達によって感染の拡大がつぶさに追えるようになった以上、政治も社会も対応せざるを得ません」

「従来の感染症は多くの犠牲者を出すことで、望むと望まざるとに関わらず社会に変化を促したが、新型コロナウイルスは被害それ自体よりも『感染が広がっている』という情報自体が政治経済や日常生活に大きな影響を与えている。感染症と文明の関係で言えば、従来とは異なる、現代的変化と言えるかもしれません」

（2020年3月12日配信、聞き手・太田啓之）

インタビュー

伊藤隆敏

Takatoshi Ito

経済学者、コロンビア大学教授

「リーマン以上」の打撃 実体経済は通説を覆し 急速に縮小している

リーマン・ショック級か、1930年代の世界恐慌以上か——。収束の見えない感染拡大で急速に冷え込む世界経済。未曽有の危機と変化をどう読み解き、乗り越えていくのか。

いとう・たかとし／1950年生まれ。政策研究大学院大学特別教授を兼務。専門は国際金融。財務省副財務官などを歴任。著書に『インフレ目標政策』『日本財政「最後の選択」』『The Japanese Economy, 2nd Edition』(星岳雄氏共著)など。

リーマン・ショック以上の経済危機に

――ニューヨーク在住ですが、感染者数の伸びが少し落ち着いてきたと聞いています。そちらの状況はいかがでしょうか。

「ニューヨークで初めて感染者が確認されたのは3月1日でした。上旬までは『人ごと』という雰囲気でした。むしろ日本から米国に来る人が感染しているのではないかという目でみられていました。変わったのは3週間ほど前からです（※インタビューは4月10日に行われた）。感染者が増え、外出禁止令が出て食料スーパーと薬局を除いたすべての店は閉じました。今や公式統計では、平均100人に1人は感染しています。コロンビア大学でも大学関係者が亡くなり、哀悼を示す学長名のメールが送られてきました」

「もちろん健康維持のための散歩や食料品の買い出しで週に2、3回は私も外出していますし、犬の散歩などで歩いている人はいるので『ゴーストタウン』になっているわけではありません。しかし、街の雰囲気はこの数週間で一気に変わりました。確かに新規感染者数は『頭打ち』になってきたように見えますが、それでも毎日8千人から1万人が新規感染しています。急激に落ちるわけでもないだろうし、外出自粛を緩めると、おそらく第2、第3の波が来てまた増えるのではないか。7、8月まではこの状況が続くのではないかという声も出てきました」

――国際通貨基金（IMF）のクリスタリナ・ゲオルギエバ専務理事が9日、今回のコロナショックで2020年の世界経済の成長が1930年代の世界大恐慌以来の危機になると指摘しました。

「世界恐慌と並ぶ、あるいはそれ以上になっていくかは現段階ではわかりませんが、2008年の米国発のリーマン・ショック以上の経済危機になるであろうとは考えています。ただリーマン・ショックと今回のコロナショックは危機の構造が違います。今回の危機では、まず需要側と供給側の両方にショックが起き、GDP（国内総生産）が大きく落ち込んでいます」

「生産・物流チェーンが寸断され、物流がストップし（＝供給側）、人が出歩かず、消費が止まっていく。その結果として雇用や所得に影響（＝需要側）が出てくる。米国の失業率の上昇のスピードも『リーマン』よりも速い。まだ問題は顕在化していませんが、企業の不良債権問題もこれから出てきます。一般的には実体経済へのショックによる収縮よりも、金融危機の方が伝播が速いと考えられてきました。これほどのスピードで実体経済が先に収縮する危機はめずらしい」

――リーマン・ショックとは「伝播」の仕方が違うということですか。

「リーマン・ショックの当時、私は日本にいました。アメリカの中でも盤石と思われていた金融機関が倒れていった。もちろん衝撃的でした。ただ以前から『バブル』を指摘する声はありましたし、前年の夏には金融機関の様子がおかしいとは言われていた。実際にリーマン破綻の前の数カ月は小さな金融機関の『救済』が起きていた。もちろん、有力な投資銀行グループ・リーマンブラザーズが倒れてからは急激なスピードでした。ですが、今回は中国・武漢での新型コロナウイルス問題が大々的に報じられるようになったのは今年に入ってからでしょう」

「以前から『おかしい』という声があり、盤石なはずの金融機関が倒れた結果、金融不安が急速に広がった危機がリーマン・ショックです。今回は、それ以上のスピードで実体経済が先に収縮している。パンデミックは金融危機以上のスピードで大規模な経済危機を引き起こす。これは通説を覆しています」

「危機の伝播の構造を個別に見ていくと、さらに違いが見えてきます。『リーマン』では米国と欧州は金融チャンネルで危機が伝播していきました。一方、金融機関は健全だった日本は、車や電気製品が売れないという貿易チャンネルがメインでした。今回はおそらく全世界同時に、国内の投資、消費が落ち込むばかりでなく、貿易やインバウンドを含むサービス収支のチャンネルが一気に落ち込んでいきます。『移動』が止まることのインパクトです」

――ただ、「リーマン」の時に比べると、「終わり」が見えていることはプラスとは言えませんか。正確な時期はともかく、いずれワクチンや治療薬は開発されるでしょう。一定期間、耐えれば元に戻るのではないでしょうか。

「もちろんワクチンや治療薬の開発、さらに抗体検査が重要なのは言うまでもありません。ですが『開発』されたとして、量産されて世界中に行き渡るかどうかは別の問題です。『外出』しなければ感染拡大がある程度抑えられることははっきりしていますが、裏を返せばワクチンが『開発』されても、量産されて広く行き渡るようになるまでは感染の波が起きる。すると、また移動を抑制するよう外出の自粛が必要になる。このような『波』と『自粛』のサイクルが繰り返されるおそれがある。経済について言えば、これから1~2年は『終わり』が見えているからという楽観はしていません」

――すでに米国は連邦政府が2兆ドル規模の経済政策を打ち出し、日本も108兆円の緊急経済対策を打ち出しています。今必要な経済政策は何ですか。

「いまは、需要を喚起するためにお金を使っても意味がない。外に出られないのですから。通常の景気刺激策、消費や投資の下支えは今はやっても意味がない。いかに人を死なせないか、医療を崩壊させないか、流動性不足で企業を倒れさせないかにお金を使うべきです。需要喚起策は早くても夏以降でしょう。まずはウイルスの感染拡大という『火事』の消火を優先せざるを得ない。そして、セーフティーネットをいかに張り巡らせるか。そのためにお金を使っていく。日本政府も政策は打ち出しているとは思いますが、スピードが遅いという印象を持っています」

――「いかに人を死なせないか」をスピードを持って進めるには、多少の無駄があってもやはり現金給付をすべての人にという方向がよいのではないですか？

「いや、全員に配るのは賛成できません。少なくとも日本でも前年の納税額は把握できています。それに応じて、低所得者に現金で損失を補塡（ほてん）していく方向で給付を進めるべきでしょう。ただし所得の低い人、あるいは就職したばかりの若者や子どもがいる世帯には手厚くというメリハリをつけていく。ある程度資産形成ができた中年以上と、若年層は区別するべきです。日本は残念ながら、すでに新規赤字国債の発行額は非常に大きいわけですが、むしろ今回のような経済危機の時には、赤字国債で生活を支えないといけない」

「米国の場合は、失業者が非常に増えているので、昨年の納税実績から、所得上限付きで、財務省から銀行に振り込まれるので確かに速い。ただ、日本は企業に雇い続けてもらうことを優先する仕組みです。全員への現金給付はなじまない。条件なしで個人に配るならば、企業がこうした危機で解雇するのを妨げないという方向にシフトする必要がある。もちろんこちらの方が理にかなっている可能性もあります。つまりコロナショックで経済システムが大きく変わるとすれば、むしろ現状の雇用を維持しないで個人ごとに給付する一方、債務超過の企業はつぶす。そちらの方が新しい経済システムへの移行が速く、危機が長期になるとすればよいかもしれませんが、大きなリスクも伴います」

——危機が長期化していく懸念があると見ているわけですね。だとすると、危機がさらに深まっていくかどうかを見るために注目しているのはどこですか？

「悪いシナリオは、実体経済の収縮が金融危機を引き起こす、というものです。銀行などの金融システムの一角が予防措置なく破綻してしまう。そこから金融システムが不安定化して、新興国の通貨危機につながってしまう。さらにイタリアやスペインの国債が暴落する。これが世界に広がっていく。『実体経済の危機→金融危機→実体……』という悪循環が数年続いていくのが最悪のシナリオです。良いシナリオとしては想定以上に速いワクチンと治療薬の発見と量産体制の確立で感染拡大に一気に歯止めがかかるというものですが、私は懐疑的に見ています」

ニューノーマルへの転換を

――「リーマン」に続き、またしても「想定外」なわけですが、なぜ想定を見誤ってしまったのでしょうか。

「グローバリゼーションのリスクの側面を過小評価していたというのは間違いない。人やモノ、資本の移動のスピード、これは同時にウイルスの伝播のスピードなわけですが、国際協調で解決しないといけないという機運の高まりが遅すぎた。中国の対応も遅かったし、ヨーロッパも当初は『イタリアの問題』というような受け止めをしていました。こうした一国レベルでは対応できないタイプのリスクにどう対応するのかをもっと早く真剣に考えるべきだったと思います。実際にパンデミックのリスクに対して、今回の新型コロナウイルスが広がる前から警鐘を鳴らしていた人はいるのですから」

「おそらく今回の危機は経済システムの変化につながるでしょう。外出ができず、オンラインでデリバリーサービスを利用したり、これまでなかなかデジタル化が進んでいなかった企業でも『危機対応』で新しいサービスにすごいスピードで転換しようと試みたりといったことが世界同時的に起きている。私が住むニューヨークでも学校が閉じた直後にオンラインで教育を、となった。貧困層が多い地区も多いし、そんなこと可能だろうか?と思っていたら一人ひとりに端末を配る、ということになっていた」

「今回の危機の前から、決済システムの進化やキャッシュレス経済の発展が進みつつあったことも対処の選択肢を増やしている。この危機を乗り越えることは、必ずしも以前の経済社会に戻ることを意味するのではなく、より生産性の高い経済システムへの転換にするべきだと思います。私はそれを『ニューノーマル』とよんでいますが、まずは命を救うことにお金を割き、その後、需要喚起策が打てるようになった時に、より高い生産性を可能にするシステムに移行できるよう、政府も民間もやっていくしかないと考えています」

（2020年4月14日配信、聞き手・高久潤）

第3章

社会を問う

寄稿

ブレイディみかこ

Brady Mikako

保育士・ライター

真の危機はウイルスではなく「無知」と「恐れ」

感染はヨーロッパでも拡大し、政治家やメディアの発信も恐れや不信を増幅している。アジア人への差別も見られた。英国の日々から見えた、暮らしと社会の重層的な課題とは。

1965年生まれ。英国在住。『ぼくはイエローでホワイトで、ちょっとブルー』で本屋大賞ノンフィクション本大賞受賞。著書に『子どもたちの階級闘争』『ワイルドサイドをほっつき歩け』など。

「コロナを広めるな」と言われた息子

英国の公立中学校に通っている息子がこんなことを言っていた。

「今日、教室を移動していたら、階段ですれ違いざまに同級生の男子から『学校にコロナを広めるな』って言われた」

これはまたストレート過ぎる言葉だなと驚いた。息子もさすがに引いたらしい。

「あまりにひどいから、絶句してしばらくその場に立っていた。なんだか、もはやアジア人そのものがコロナウイルスになったみたいだね」

フランスでは、アジア系の人々がネットで「私はコロナウイルスではない」というハッシュタグを広めていた。フランスの地方紙がコロナウイルス感染の拡大を「黄色い警報」「黄禍?」と報じたため、批判の声が上がり、前述の地方紙は謝罪した。が、大手メディアにも疑問を感じさせる報道があった。ドイツのニュース週刊誌、デア・シュピーゲルは、感染防護服にガスマスクを着けた人が iPhone を手にしている写真を表紙に掲げ、「メイド・イン・チャイナ」の見出しを打った。英国で編集しているエコノミスト誌の表紙にも、地球に中国の国旗の柄のマスクをかぶせたイラストが使われ、「どこまで悪くなるのか?」という見出しだ。いつもはポリティカル・コレクトネス（政治的正しさ）に慎重な媒体が、どうしたことだろう。社会のこうしたムードが子どもに影響を与えないわけがない。

デア・シュピーゲルの「メイド・イン・チャイナ」にしろ、エコノミスト誌の世界を覆う中国の国旗柄のマスクにしろ、中国が持つグローバルな影響力の脅威と、コロナウイルスが世界経済にもたらすダメージへの不安が合体したようなイメージだ。差別の構造を語るとき、「無知」を「恐れ」で焚きつければ「ヘイト」が抽出されるという比喩が使われるが、ウイルス感染拡大のニュースが絶え間なく流れている今、まさに「無知」を焚きつける「恐れ」はそこら中にあふれている。

欧州の右派ポピュリストたちは、この機に乗じて「閉ざされた国境」の重要性を訴える。欧州でコロナウイルス感染者数が最も多く報告されているイタリアでは、「同盟」

のマッテオ・サルビーニ書記長が、すでに地中海を渡ってイタリアに到着する移民と新型コロナウイルス感染とを関連づけて語り始めた。そのイタリアと地続きのフランスでは、国民連合のマリーヌ・ルペン党首がイタリアとの国境で出入国検査を行うべきだと呼びかけている。彼らは、感染拡大をまるで多様性が生んだディストピア（暗黒の世界）でもあるかのように語る。

世界を真の危機に陥れるのは新型ウイルスではなく、それに対する「恐れ」の方だろう。

「未知」＝「無知」に「恐れ」の火をつけたら

日本でもトイレットペーパーの買いだめが起こったそうだが、パニック買いは英国でも始まっている。薬局やスーパーの棚から消えて久しいのは手と指用の殺菌ジェルだ。普通のせっけんで頻繁に洗えばそれでいいのだと聞いても人々はやっぱり殺菌ジェルを買いに走る。カンヅメやオムツ、頭痛薬などが品薄になっている店も出てきている。

「人が買いだめしているから私もしておかないといという気になって」という友人・知人の声を耳にする。いつもはわが道を行っているように見える英国人でもそんなことを言うのだ。

人は、未知なものには弱い。新型コロナウイルス感染が収束する時期もわからなければ、感染している人も見分けられない。だから不安になる。「未知」と「無知」がイコールで結ばれるとき、それに「恐れ」の火を焚きつけられたら、抽出されるものはまったく同じものだろうか。

しかし、常にそうである必要はない。「学校にコロナを広めるな」と息子に言った同級生の少年は、その後、息子に謝りに来たそうだ。階段で起きたことを見ていた誰かが彼に注意したそうで、「さっきはひどいことを言ってごめん」と申し訳なさそうに謝ったというのだ。

「僕は黙って立っていただけだったけど、誰かが彼にきちんと話をしてくれたから、彼は自分が言ったことのひどさがわかったんだよね。謝られた時、あの場で何も言わなかった僕にも偏見があったと気づいた」と息子が言った。

「偏見？」

「その子、自閉症なんだ。だから、彼に話してもわかってもらえないだろうと心のどこかで決め付けて、僕は黙っていたんじゃないかと思う」

きっとこういう日常の光景がいま世界中で展開されている。部数を伸ばしたいメディアや勢力を拡大したい政治勢力が大文字の「恐れ」を煽る一方で、人々は日常の中でむき出しの差別や偏見にぶつかり、自分の中にもそれがあることに気づき、これまで見えなかったものが見えるようになる。

知らないことに直面した時、人は間違う。だが、間違いに気づく時には、「無知」が少し減っている。新型コロナウイルスは閉ざされた社会の正当性を証明するものではない。開かれた社会で他者と共存するために我々を成長させる機会なのだ。

（2020年3月12日配信）

*

オンライン授業で見えたこと

ロックダウンで休校になってから、息子の中学の先生たちから毎週のように電話がかかる。それぞれの教科の教員たちが定期的に保護者に連絡し、生徒たちのオンライン学習は順調か、何か問題はないかと確認しているのだ。

「先生たちこそ、オンライン授業は大変でしょう」

と言うと、ある数学の教員はこんなことを言った。

「興味深いこともあるんです。ふだんは質問なんかしてこなかった子たちがメールを送ってくる。成績も振るわず、授業に関心もなさそうだった子に限って『ここがわからない』と言って……」

「それは面白いですね」と答えると彼女は言った。

「ひょっとして、私はそういう子が質問できない雰囲気の授業をしていたのではと反省しました。今の状況はこれまで気づかなかったことを学ぶ機会になっています」

オンライン授業の準備、教員たちとのZoom会議、保護者たちへの定期的な電話など、休校でかえって仕事は増えたに違いないと思うが、教員たちはみな熱心だ。

「キー・ワーカー」を巡る分断

著書『負債論』で有名な人類学者のデヴィッド・グレーバーは、何年も前から「ケア階級」という言葉を使ってきた。医療、教育、介護、保育など、直接的に「他者をケアする」仕事をしている人々のことである。今日の労働者階級の多くは、じつはこれらの業界で働く人だ。製造業が主だった昔とは違う。コロナ禍で明らかになったのは、ケア階級の人々がいなければ地域社会は回らないということだった。私たちの移動を手伝うバスの運転手や、ゴミの面倒を見てくれる収集作業員などもここに含まれている。

ケア階級の人々はロックダウン中、「キー・ワーカー」と呼ばれ、英雄視された。毎週木曜日の午後8時に家の外に出て彼らに感謝の拍手を贈る習慣が続いたし、メディアでも「サンキュー、キー・ワーカーズ」のメッセージが繰り返された。

　批評家の片岡大右（だいすけ）による「『魔神は瓶に戻せない』D・グレーバー、コロナ禍を語る」というネット記事に、グレーバーのインタビューの一部が掲載されていた。

「わたしたちは、わたしたちをほんとうにケアしているのはどんな人びとなのかに気づいた。ヒトとしてのわたしたちは壊れやすい生物学的存在にすぎず、互いをケアしなければ死んでしまうということに気づいたのです」

　ケア階級の仕事と対峙（たいじ）する概念として、グレーバーは「ブルシット・ジョブ（どうでもいい仕事）」という言葉を唱えている。この言葉をタイトルにしたエッセーが発表された後、英国の世論調査で、実に37％が「自分の仕事は世の中に意義のある貢献をしていない」と回答した。意味のない会議に出るための書類を作成し、なくてもいい書類作成のための資料を集め、整理するために忙殺される。ホワイトカラーの管理・事務部門で働く人の多くが「内心必要がないと思っている作業に時間を費やし、道徳的、精神的な傷を負っている」とグレーバーは書いた。

コロナ禍の最中に「命か、経済か」という奇妙な問いが生まれてしまったのも、現代の経済が大量の「ブルシット・ジョブ」を作り出すことによって回っているからだ。そのため、病人を治療したり、生徒に教えたり、老人の世話をしたりする仕事は、なぜか経済とは別のもののように考えられてきた。だが、意義を感じられないどうでもいい仕事が経済の中心になれば、経済そのものが「ブルシット・エコノミー」になってしまうとグレーバーは言う。あたかもそれは人々の生活や命とは無関係で、「経済界」や「金融界」の中にのみ存在するもののように。そうした経済の在り方が、無意味に思える仕事に限って高収入で、本当に社会にとって必要な仕事ほど低賃金という倒錯した状況を生み、それが当たり前になっている。

英国では低賃金労働者への感謝は偽善的という議論もあった。家で仕事ができる身分の人々が、感染のリスクを冒して外で働く人々を持ち上げて利用するのはグロテスクだと言った知人もいる。キー・ワーカーに拍手をするか、しないか。ここでも分断が生じた。

価値観変化の「種」

とはいえ、コロナ禍が始まるとメディアから「ブレグジット」という言葉すら消えてしまったように、こういうこともまたすぐに忘れられてしまうのだろう。人間は健忘症だから、何もなかったように元の生活に戻って行く。

しかし、子どもたちはどうだろう。何カ月も学校に行かなかった日々の記憶は彼らの中に残る。あの時期、週に1度、ストリートの家々から人々が出て来て拍手をしていたが、あれは誰に向けたものだったのだろう、どうしてあんなことをしていたのだろう、と、10年後、20年後に思い出し、考える人々が出てくるのではないか。

それだけでも、わたしはケア階級への拍手を否定する気になれない。価値観のシフトはいますぐ起こらないとしても、その種は確実に未来の世代の中に蒔(ま)かれている。

(2020年6月11日配信)

インタビュー

斎藤 環

Tamaki Saito

精神科医

非常事態で誰もが気づいた「会うことは暴力」

外出自粛要請で、多くの人が自宅にひきこもることを強いられ、ゲーム「あつ森」など巣ごもりビジネスは活況になった。人と会うことが制限された社会が照らし出すものとは。

さいとう・たまき／1961年生まれ。筑波大学教授。専門は思春期・青年期の精神病理学。著書に『世界が土曜の夜の夢なら』（角川財団学芸賞）『心を病んだらいけないの？―うつ病社会の処方箋―』（與那覇潤氏との共著）など。

指が逃れぬ仮想幸福

——5月は仕事以外はひきこもったままゲームに明け暮れ、まさに「不要不急」の日々でした。

私は外出自粛期間中、時間の流れが非常に貧しいものになっていたのでは、と考えています。今日はどれだけの感染者が出た、どの業種が休業要請の対象だ、といった特定の情報に人々の関心が集中し、コロナのみに合わせた時間、いわば「コロナ時計」のみを生きることになった。本来なら、人間が経験する色々な出来事には、それぞれ異なる時間の流れがあって、それらが束になり個々人の時間を作っていた。そこには当然、不要不急も含まれる。でもその不要不急を感染防止と自粛という形で排除した結果、時間の流れが貧しくなってしまったのです。

自粛期間に入った当初、これを機に何か自分にとって生産的なことをしようとか、資格を取ろうとか思っていた人もいたでしょう。ところが、なかなか思うに任せない状況がある。それは当然で、そのことを積極的に捉えてみましょう。むしろ非生産的で、不要不急の、あまり意味のないことをすることで、私たち自身が本来持っていた、時間の感覚を取り戻しましょうと。私はそういったメッセージを、ウェブサービス「ｎｏｔｅ」で公開し、反響の大きさに驚きました。

要は何でもいいのです。ゲームでも、何かの栽培や飼育でも。ゲームにはゲームの、また違った時間が流れていますから。

ゲームに問題点があるとすれば、他の経験と比べて没入性が高すぎるということかもしれません。没入しすぎると、経験の多様性が失われる。ゲームに一本化され、他のことをするチャンスが奪われてしまう。特に、夜に没頭することが多くなると、睡眠時間が不規則になり生活リズムが乱れるなど、健康上の悪影響も懸念される。昼夜逆転で体内時計が狂ったり、自律神経の調整が難しくなったり。そういう可能性を知った上で、バランスを考えながら、健康を害さない程度に楽しめれば良いのだと思います。

——「ゲームにはまりすぎて、ひきこもってしまうかも」と思う日もありました。ゲームがひきこもりの原因になることはあるのでしょうか。

じつは日本では、ゲームをしながらひきこもっている人は少数派です。韓国はひきこもりの人が多い国なんですが、韓国の場合はオンラインゲーム依存が多いとも言われています。日本の場合、ゲームを楽しむ余裕もない。ひきこもりの人は楽しむことが苦手なんです。何かを楽しむ自分自身に対する自責感がある。「ゲームなんかやっている場合じゃない」と思ってしまう。なのでゲームより動画や映画を見る人が多い。それとスマホは本来、電話など通信の手段なので、ひきこもっている人は、外からの連絡を受けることも、自分から連絡することもなく、スマホ自体が必要ないのです。

「会うこと」は暴力

――コロナ禍で「あつ森（あつまれ どうぶつの森）」が流行した心理的な背景を知りたいのですが。

私自身はそのゲームをしていないので詳しくは言えません。ただ外出自粛期間中、S

NSに自分が作った世界を投稿して楽しんでいる人をたくさん目にしました。それを見て思ったのは、攻撃性の乏しいゲームなのだろうということ。戦闘ゲーム、格闘ゲームなどとは異なる世界。「暴力のない世界」という風に見えました。

——私がしていたのは「ポケ森（どうぶつの森 ポケットキャンプ）」ですが、その通りだと感じます。

緊急事態宣言解除後に再び元の世界に戻すべきなのか、という議論があります。在宅ワークをしてみたら、できるじゃないかと。無理に満員電車に揺られて通勤し、行き先の職場で疲弊して、ハラスメントにあってまで働くことはないと。そんな声が上がる一方で、「やはり会わなければダメだ」という声もある。議論は今も続いていて、なかなか糸口が見えない。

なぜかと言えば「人に会う」ということは、ある種の「暴力」だからなのだと思います。どんなにやさしい人同士、気を使いあっていたとしても、相手の境界を侵す行為なので、その意味では、会うことは暴力です。それでもなぜ、人と人が会うのかと言えば、会った方が話が早いから。記者さんが取材をするのも、あえて言いますが、暴力なんです。会って相手に圧力をかけた方が、会わないより物事が前に進む。スカイプやズームだけだと、もどかしく感じる。

会議も、人と人が会うと、やっぱり話が早いし、効率が良い。なぜかといえば、暴力だから。この暴力の存在を、私はコロナ禍の中であらためて自覚しました。私が日々している会議、授業、診察。それらもまた、暴力なのだなと。私自身、そこに入る前に緊張したり、気が重くなったりする。でも、終わってしまうと、やってよかったという気持ちになる。その理由も「会うことの暴力性」から来ている。

――「ポケ森」の動物たちとの「交流」では、ほぼ傷つくことはありません。

オンラインの会議にさえ、ある種の暴力性はあります。暴力性のない世界がもしゲームの中にあるなら、それは大きな快楽になり得る。私はあくまでも外側からですが、今回の「あつ森」の流行について、そう感じました。自分が外の世界で経験してきたことの暴力性に、外出自粛下で距離を置いたことで、気づいてしまった。それに気づくほどに、暴力のない世界に没入したくなる。そういった気持ちは非常によくわかる気がします。

——「会うことは暴力」というのは、意外で、強い言葉だと感じました。久しぶりに会社で同僚と会話して、私個人はリモートでは感じられない温度を感じ、安堵(あんど)した側面もあったので。

会うことが呼び起こすうれしさと憂鬱(ゆううつ)さ、それらを併せ持つ、両義的な意味としての暴力です。もっと良い表現があれば良いのですが。「圧力」とも少し違って、「重力」の方が近いかもしれない。

たとえば自粛期間中、宇宙空間のような無重力状態にいたけれど、いまは地上に戻って、重力を非常に重く感じる。それでまた、徐々になじんでいく。そして人々は、これまでの仕事に戻ることのうれしさ、憂鬱さを感じる。暴力であれ、重力であれ、私たちが生きて行く中で欠かせないものであるのは確かです。

——在宅と出社、それぞれにメリットがあるのかもしれません。

「会うことは暴力だ、だからダメだ」とも言えない。「すべては暴力なのだから、我慢するべきだ」とも言えない。暴力に対する耐性は人それぞれ違います。何とかやり過ごして通勤する人もいれば、どうしても耐えがたいものとしてひきこもる人もいる。

暴力を必須とする人、暴力がないと健康に生きられない人もいる。人と会い、会社に行く方がいいという人、それが恐らくはマジョリティーなのだと思うけれど、社会の予想を超えた規模で、じつは自分自身は暴力に耐えられないんだ、と気づいた人たちもいたわけです。そういう人たちが在宅に切り替えれば、欠勤もなくなり、効率もアップする。そういうことが実際に起こっている。在宅が向く人と、出社が向く人、それぞれの出力を見て、向き不向きを考えながら、フレキシブルなやり方を考える。そうしたハイブリッド化が進むことは大いに期待したいです。もちろん、組織の側は、在宅の人が常にオンラインで情報を共有できて、社会性を失わないための環境を整える必要があるでしょう。

「ひきこもり」の価値

――長年ひきこもっていた人は、コロナ禍をどう捉えているのでしょうか。

パンデミックで明らかになったのは、ひきこもることで、社会貢献ができる、ということ。ひきこもりが推奨され、誰もがみなひきこもった。今までのように、ひきこもりは、非生産的であり、価値のない人生だというのとは違った、また別の角度から、ひきこもることの価値が見いだされた。

そういう変化が、わずかですが起こったと言って良いのだと思います。ただ、私は当事者の意識がもっと軽くなるかと思っていたのですが、当事者はコロナにあまり関心を持たず、世の中全員がひきこもろうと、自分のひきこもりの本質は変わらないと捉えている。私の想像以上に彼らは現実をシビアに見ていると感じました。「ならば支援すればいい」と単純に言えることでもなく、支援も一つの暴力なわけです。「自分は支援が必要だ」と感じている人、つまりニーズのあるところにサポートを供給していく必要があります。

――外出自粛が解除された際、通勤が憂鬱だという声がSNS上にあふれました。

大勢がひきこもったことで、ひきこもりの人に共感しやすい状態が生まれました。誰とも会わない生活をしていくと、何事についても、やる気を起こすことが難しくなってしまう。それを誰もが痛感した。以前は、ひきこもりの人に対して「やる気を出せば働けるはずだ」という声もあった。しかし「ある程度以上ひきこもってしまったらもう、やる気どころではないんだな」と。どんな人でも、程度の差こそあれ気がついた。会うことの、暴力性を認識した。コロナは、そのようなきっかけになったのではないでしょうか。

（2020年6月14日配信、聞き手・寺下真理加）

寄稿

東畑開人

Kaito Towhata

臨床心理士

猛スピードの強風で「心は個別」が吹き飛ばされた

コロナ禍の時代、人の心はどう変わったのか。「不要不急」の掛け声のもと、自粛要請は一律に「速く」行われた。しかし心は「遅い」。多様で複雑な人の心のケアを思惟する。

とうはた・かいと／1983年生まれ。沖縄の精神科クリニックでの勤務を経て十文字学園女子大学准教授。専門は臨床心理学・精神分析・医療人類学。『居るのはつらいよ』で大佛次郎論壇賞受賞。白金高輪カウンセリングルーム主宰。

どうしてもケース・バイ・ケースになってしまう

最近よく、コロナ禍で心はどう変わったのかと聞かれる。だけど、歯切れよく答えることができない。というのも、心を語ろうとすると、どうしてもケース・バイ・ケースになってしまうからだ。

ステイホーム。社会を停止させるから、家にいてくれ。私たちはそう言われた。そのとき、ある家では心が損なわれた。24時間一緒にいる生活で、緊張と不満が高まり、互いが敵に見えた。その結果、痛ましい暴力が生じた。コロナDVのことだ。

一方で、心が再生した家もある。ありあまる時間の中で数年ぶりにトランプをしたのだ。ババ抜きは思いがけず楽しかった。すると、じっくり話ができるようになった。その時間が、よくわからなくなりかけていた互いのことを、再び結び付けた。

同じコロナ禍が異なる体験になる。ケース・バイ・ケースなのだ。だから、どの心を語れば時代を語ったことになるのかわからない。心理士は時代を語るのに向いていない。

「個別性＝心」は社会のサポートを失った

ロールシャッハ・テストという心理テストがある。インクのしみが何に見えるかを答えてもらう検査だ。想像しにくければ、雲でもいい。ベランダに出て、空を見上げてほしい。そこに浮かぶ雲はあなたには大きな牛に見えるかもしれないけど、私は切れ端のところを見て小さなイチゴというかもしれない。ここに、全体から世界を捉える心と、細部から世界を捉える心の違いが現れる。

同じ雲が違って見える。かつて心理学者の河合隼雄が「個別性」と呼び、心のケアの原理としたのはこれだ。ケース・バイ・ケースを見ようとするときにだけ、心は見える。ババ抜きが心を再生させたのは、遊びが互いの個別性を実感させたからだろう。ジョーカーがまわってきたときの何げないそぶりや勝ち負けの悔しがり方と喜び方。そういうところに現れる「その人らしさ」が、互いの心を再発見させる。

暴力が生じた家で起きたのは逆だ。

静かにしてくれない、手伝ってくれない、わかってくれない。そういう不満が満ちあふれるとき、相手の個別性が見えなくなる。余裕があれば、静かにできない事情を思いやることができるのに、追いつめられると相手がただの敵に見える。敵とは個別性を失った他者のことだ。

心はふしぎだ。その個別性は容易に見失われる。すると、人間が心をもたない存在に見える。心が存在するためには遅い時間がいる。シンプルに割り切らず、人間の複雑さを複雑なままに理解するためには、時間をかけるしかない。ただし、そのためには下支えが必要だ。

コロナ禍以前には、そういう支えを社会が提供してくれていた。職場やコミュニティーのところどころに小さな居場所があり、学校は子どもたちを預かってくれていた。昼の街と夜の街がグルグルと回ることで、自分一人の時間を持てたり、ストレス解消ができたり、慰め合ったりすることができていた。

社会は多様なニーズを引き受けながら回っていたのである。だから、街には色々な仕事があり、色々な場所があり、色々な営みがあった。だけど、「不要不急」のスローガンはそういう多様なニーズを一刀両断してしまった。職場の同僚と缶コーヒーを飲みながらおしゃべりをする。それがどうしても「要」であり「急」だといっても、通らない。私たちの自粛は一律の速度で行われた。

公衆衛生の圧倒的な強風が吹いたのだ。集団として生き残ることを目指すこの技術は、人間を個人ではなく、人口単位で扱う。すると、池袋の街はがらんどうになる。多様で複雑な社会は、あっという間にシンプルになってしまう。そうやって、「個別性=心」は社会のサポートを失ってしまったのだ。

その人固有の「速度」を探して

個と社会。心と公衆衛生。それは「個人の尊重」と「公共の福祉」という人権をめぐる古典的葛藤だ。この二つは支え合うものでもあるけれど、緊張関係にもある。だから、粘り強く思考し、時間をかけてバランスを調整する必要がある。バランスとはケース・

バイ・ケースを吟味する遅い思考の産物だ。それがこれまでは私たちの日常をかろうじて成り立たせてきた。だけど、ウイルスは圧倒的に速かった。それが巻き起こした強風は、社会をものすごいスピードで動かした。風は個別性を吹き飛ばし、そしてあの雲を押し流した。空を眺めても、大きな牛も小さなイチゴも見えなくなった。

社会防衛のためには仕方がなかった。そうかもしれない。だけど、だからこそ、「コロナによって心はどう変わったか」と問われたら、改めて「ケース・バイ・ケース」と答えたい。心は遅いからだ。この遅さを、社会のサポートのないままに、各人が、そして各家庭が自己負担したのがコロナ禍の時代である。

と書いておきながら、やはり口ごもる。別の時代を体験した人もいただろうと思ってしまうからだ。やはり心理士は時代を語るのに向いていない。この仕事は時代を引っ張り、リードするのではなく、時代の後ろをついて歩く仕事だ。それは時代の速度で歩けなくなった人とともに、その人固有の速度を探す仕事だ。そういう要と急があると思うのだ。

（2020年6月18日配信）

インタビュー

磯野真穂

Maho Isono

医療人類学者

「正しさ」は強い排除の力を生み出してしまう

「人に感染させてはならない」という思考は、感染リスクの高い人を排除したい感覚を強める。道徳的な「正しさ」は時に暴力となり、正義のこん棒を作り出す。

いその・まほ／1976年生まれ。専門は文化人類学・医療人類学。2020年より独立。不確実な未来に直面する人間の生き方をテーマに、主に医療を対象にした調査を続ける。著書に『医療者が語る答えなき世界』など。

「秩序を乱す者を排除したい」

――緊急事態宣言が延長されました。私たちが行動を変えたことで、感染拡大は抑制されつつあるようですが、むしろ危機感を抱いていると聞きました。

「新型コロナの感染者数や死者数、予想のグラフを私たちは今、メディアを通じて毎日のように見ています。さらに、専門家は『あなたの無責任な行動が誰かの命を奪うかもしれない』と警鐘を鳴らす。新型コロナ感染のリスク管理を徹底的に追求する社会。それが今、私たちの暮らす社会です」

「スーパーマーケットでの買い物のときに、人とどれくらいの距離を空けるか、店に入る人数は何人くらいまでか――。さらに、政府の専門家会議が5月4日に打ち出した『新しい生活様式』では、『食事は、対面ではなく横並び』『食事の際は料理に集中し、おしゃべりは控えめに』などと、私たちのささやかな生活にまで、行政がさらに入り込んできました。飲食店などが、営業の自粛要請に従わないと市民から批判にさらされているなかで、です。私は、このような『指導』が国家から出ることだけではなく、市民がそのような指示を進んで求めることにも違和感がありますが、『日本では、セーフとアウトの判断基準がわかりづらい。行政はもっと基準をはっきりさせろ』という声の方が強くなっているようです」

——当たり前ではないでしょうか。自分が感染するのも恐ろしいですが、気づかぬうちに他人を感染させているかもしれない。

「でも、そのリスクを恐れて逐一指示を求めていたら私たちは自分で考えて行動することと自体を放棄せねばならなくなります。それに、『他人に迷惑をかけてしまうかもしれない』という市民道徳は、感染リスクを下げるという目的に照らせば合理的ですが、『誰かを感染させてしまうリスク』があるのは、新型コロナだけではなく、感染症一般の特性であるはずです」

「少し前、風疹の予防注射を受けていない人が、知らず知らずのうちに妊婦を感染させ、難聴や先天性心疾患などがある子を産むリスクを高めると問題になりました。今でもそのリスクは変わっていませんが、新型コロナにかき消されて、注目されなくなっています。なぜ新型コロナのリスクばかりが朝から晩まで取り上げられるのかに目を向けるべきです」

――今回は世界的な感染爆発という現実があります。

「感染の爆発的な拡大を避けるべきだというのは、大前提です。実際に日本はデータに基づいて『3密』を避ける対策で、当初は感染者数を比較的うまく抑えてきました。ただ、その過程で、私たちの社会はいつのまにか、『絶対に感染しては、させてはいけない』という感覚に基づいて振る舞うことこそが、道徳になってしまった。感染リスクを限りなくゼロに近づけることが、一人ひとりに課される至上命令になり、他の大きな問題を生み出しています」

――他の問題とは、何ですか。

「差別、中傷、バッシングです。自治体が『自粛要請』に従わないパチンコ店を公表すると、抗議や脅迫が殺到する事態になりました。実際に、結果としてほぼすべてのお店が閉店しました。感染リスクは、閉店でほんの少しは下がったかもしれない。ですが、これは現代の『村八分』でしょう。他県ナンバーの車に対して石を投げたり、いたずらしたり、といったことも出てきています」

「やっかいなのは、感染リスクを下げることだけを目的にすれば、感染リスクの高い人や集団には近づかない、そういう人たちを遠ざける、といったことは、あながち『誤り』ではなく、『正しい』ことになるという点です。ゼロリスクを目指すとは、そういうことです。こういう行為には批判の声も上がりますが、私たちはどこかで、この『正しさ』を受け入れてしまっているのではないでしょうか」

――新型コロナへの恐怖が引き起こしている事態でしょうか。

「違います。新型コロナは世界的なインパクトゆえにか、その『新しさ』ばかり語られます。ですが、いまその結果として社会で起きていることは『古典的』と言ってもいいくらいです。感染拡大を助長していると批判を受けたのは最初は若者、そして、夜の街にいた人たち、さらにパチンコ店やそこに出入りする人たちです」

「つまり、コロナが起きる以前から『社会秩序を乱す』と名指しされがちだった集団に向けて、『正しさ』のこん棒が振るわれているのです。歴史的な事例を引けば、文化人類学者のメアリ・ダグラスがヨーロッパのハンセン病の隔離施設に入れられた人たちについて述べた論考があります。社会的に隔離された人たちの遺体などの記録を見ると、多くは貧困層で、隔離された人の中にはハンセン病にはかかっていなかった人たちも含まれていたそうです」

――どうつながるのですか。

「『感染の危険から社会を守る』ことを錦の御旗に、実際は、社会秩序を乱すとみなされていた人々が排除されていったのです。『感染リスクをゼロにするべきだ』という正しさは、強い排除の力を生み出します。社会の『周辺』にいる人に対して特に強い力が働く。リスクはゼロか1かではいえないのに、『安全な人や集団』と『危険な人や集団』を分けてしまう。パチンコ店のケースは確かに行政主導の『発表』でしたが、個々人が普段から抱く秩序を乱す者を排除したいという感覚が、排除に拍車をかけたように見えます」

「そして、その排除の力はいま、医療従事者にも向かっています。陽性患者が出た病院の医療従事者が他の医療機関での受診を断られたり、子どもが保育園への通園を拒否されたりするニュースが2月以降、続きました。この二つの話は危険の排除という点でつながっているのです」

「『感染者を救うため、頑張ってください。応援しています』とエールを送りながら、『でも濃厚接触者のあなたは私のテリトリーには入らないでください』と表明する。『あなたの無責任な行動が医療崩壊を招き、死者を増やす』と呼びかけ、個々人に危機感と責任感を植え付けて思考と行動の変容を促す方法が怖いのは、まさにこの点です。自分や他人を監視しあう社会を生むのもさることながら、自分や自集団が感染しないために、感染リスクの高い人や集団を排除するという判断を、いやが応でも生むことにつながります」

感染拡大を抑制さえすれば社会は平和なのか

――感染の恐怖とともに、「世界大恐慌以来」とも形容される経済の先行きへ恐怖も広がります。日本でもすでに日々の生活を営むのも難しい人が多く出ています。

「感染症の拡大を抑止するのか、それとも経済的なダメージを低減することを優先するのか。こう語られますが、私は、命か経済かではなく、命と命の問題だと考えます。感染症による死も、生活苦による自殺や病死も同じく命の問題です。『命か、経済か』でトレードオフできる問題ではない」

「会社が倒産して、失業して生活苦で生きていけなくなることも感染症にかかることと同様に人間にとって大きなリスクです。それに、人と人が直接会って交流できないことは、社会の死を意味すると、私は考えています」

――ある程度、オンラインで代わりがききませんか？

「生きる際に、どうしても欠かせないのは体です。オンラインだと移動をしなくていいし、多少体調が悪くてもやりとりしやすい。その意味で体の持つ煩わしさを消してくれるわけですが、私たちが病気にかかり、いずれは死ぬ存在である以上、自分の体の煩わしさをケアしてくれる他者がどうしても必要になる。親密性を担保してくれる他者の存在です。オンラインは、その『体の煩わしさ』を捨象しているので、代わりにはなりません。長い外出自粛が続き、ネットを通じた交流だけでは、こぼれ落ちるものがあるという感覚は、多くの人が抱いているのではないでしょうか」

——私たちは今後、どうすればいいのでしょうか。

「本来、病気や死は、地域をはじめローカルな人間関係の文脈の中で意味づけられてきました。リスクとの付き合い方も、人と人が集まる生活空間で『だいたいこれくらいやっておけば大丈夫だろう』という感覚の中で、つくられてきた。しかし今回の新型コロナでは、情報技術の発展もあり、文脈の違う他国の情報や、専門知がものすごい速さで入ってきている。現場の感覚に基づいて個人が行動を決めることが難しくなっています」

「今、考えるべきなのは、『感染拡大を抑制さえすれば社会は平和なのか』ということではないでしょうか。私はすでに、この方向性がもたらすマイナスの側面の影響が大きくなっていると考えています。感染拡大だけでなく、人間の『命』にとってのさまざまなリスクを考慮して、政策を決めていく段階に来ていると思います」

（2020年5月8日配信、聞き手・高久潤）

インタビュー

荻上チキ

Chiki Ogiue

評論家

「ステイホーム」が世論に火をつけた一方ポピュリズムに懸念も

感染拡大の中、ネット上で反対運動が起こった検察庁法改正の問題。ＳＮＳから世論の大きなうねりを起こし、政治を動かしたと言える。なぜ、人々は動いたのか。

おぎうえ・ちき／１９８１年生まれ。メディア論を中心に、政治経済、社会、文化まで幅広く論じる。ＴＢＳラジオ「荻上チキ・Session-22」のパーソナリティー。著書に『彼女たちの売春』『みらいめがね』など。

問題の広がりは「意外」

僕は多くの有権者は、民主主義制度をめぐる議論に関心を持ちにくいと思っていました。例えば、景気が悪化した時の賃金とか、工場で食べ物に異物が混入したとか、直接自分の生活に関わることには大きく反応する。他方で、文書主義とか定数是正とか、抽象的に聞こえがちなテーマは、反応が薄い。モリカケ（森友・加計学園）問題などには各論的に批判しても、優先順位は低く見積もる。だから、今回のツイッター上のデモを通じて問題が広がったのは、意外でした。

検察庁法改正をめぐる問題は、安倍政権では決して新しい問題ではありません。文書が残っていない、法解釈を変える、特定の人事の経緯がわからない。どれも「またか」と思える、「らしい一件」だと思います。「説明責任」という言葉があまりに軽くなってしまっています。

過去の安保法制や共謀罪などでの成功体験が、今の政権にはある。「国民はすぐ忘れるだろう」と。批判層にすら、何をやっても効果がない、と学ばされてしまう「学習性無力感」がある。だが今回、反対運動が広がった。これまでと異なるオピニオンリーダーが動いたためです。

拡散過程では、「わかりやすい物語」として捉えられた面もあります。「安倍（晋三）首相を守るために、『官邸の守護神』とも言われる黒川（弘務）氏の定年を延長したい」。「わかりやすい物語」が拡散し、検察問題に詳しくない人にも届いた。

社会運動が盛り上がる時は必ず単純化を伴います。良くも悪くもです。よくわかっていないなら議論をするなという人もいますが、それは違います。わかりやすい入り口からでも、議論を通じて着地点を探すのが重要です。それに、わかっていないなら議論をするなという言葉は、しばしば、異なる意見の方向に行こうとする人をふるい落とそうと使われる言葉でもあります。

成功体験、政治に反応しやすくなった面も

コロナ禍の「ステイホーム」によってネットを閲覧している人数が増えると、反応の雪崩現象が起きやすくなります。ウェブ滞在時間が伸びていますから。また、コロナ対応で不安や不満が高まっているのも大きかった。感染者数を抑え込む一方で、給付金事業への決断と対応に時間がかかる。経済政策の失敗は人災です。お金より先に布マスクが来るらしい、でもそれすら異物がある。そうしたがっかり感も政府批判の素地となります。不満を通じて、政治が刹那的に自分ごとになる。これまでと異なるメディア回路でデモが始まる。それに参加する時間がある。こうした複数の条件の出口の一つが、今回の抗議につながったように思えます。

ハッシュタグを使った運動は、これまでも色々なテーマで盛り上がってきましたが、今回は多くの著名人も投稿し、拡散に影響を与えました。ラジオでもこの動きを取り上げた日は、普段より聴いてくれる人が多かった。たくさんの人が自ら情報収集をしたい

と思うところまで感情が動かされたんだと思います。

運動に参加した人には、法案見送りというわかりやすい成功体験ができた。人には良くも悪くも、過去にやったことを続けるというような「経路依存性」がある。無関心に戻る人もいるし、関心の継続へと反転する人もいるでしょう。政治のニュースに対して、カジュアルにリアクションしやすくなった面もあります。

ただ、ツイッターは基本的に舌足らずなメディアでもある。情報などが切り取られている面もあり、デマやヘイトスピーチを流してしまうこともある。だからこそ、メディアの特性をしっかりと理解し、政治などの制度の根幹を学んでいくことが重要です。

また、瞬発と単純化のメディアは、政治という点ではポピュリズムを加速させることもあるわけです。政治家が巧妙に自分たちに都合のいいツイートを活用することもしばしば起きるでしょう。今後、有権者の側が政治の動向を観察していくことがますます必要になると思います。

（2020年6月13日配信、聞き手・楢崎貴司）

インタビュー

鎌田實

Minoru Kamata

医師

分断回避のために感染した若者に「ご苦労様」と言おう

各地でクラスター（感染者集団）が発生し、活動的な若者が無自覚のままウイルスを広げているというバッシングがあちこちで噴出している。だが、悪いのは若者だけなのか。

かまた・みのる／1948年生まれ。長年地域医療に取り組んだ。地域包括ケア研究所所長。日本・イラク・メディカルネット代表。日本チェルノブイリ連帯基金理事長。著書に『がんばらない』『1%の力』など。

バッシングは「ストレス解消」

――バッシングに遭っている若者たちを擁護していますね。

「いま、新型コロナウイルスの感染拡大につながる行動をしているのは若者だけではありません。新しい未知なるウイルスとの闘い方がわからず、誰でも間違えてしまうことはあります。若者のみに風当たりが強まる理由は、多くの人々が他者を非難することで、自らの恐れやストレスから逃れようとしているせいです」

――バッシングは、自らのストレス解消のためだと。

「非難する対象は、どうしても世代が違い、理解しにくい相手になりがちです。だから、年配者は若者がライブに行くことに憤り、若者は年配者がナイトクラブやバーに行くことに疑問を抱くのです」

――ライブは密閉、密集、密接という感染拡大の「3密」条件がそろっています。そこに行く若者が批判されるのは当然では?

「確かに密閉空間に人が集まり、大声を出すライブは、感染を拡大させやすい。政府や自治体がライブの関係者に協力を求めることは大切でしょう。でも、政治家や専門家は、頭ごなしに自粛への協力を強制しているように思えます。メディアの向こう側にいる若者に向けて、『君たちの協力が必要だ』と訴えている演説はほとんどありません。本当に、若者の悩みをきちんと受け止めるべく努力をしているのでしょうか」

――悩みを受け止める努力とは？

「先日、10万人が公園に集まるイベントをどうしても開催したい、という若者の相談を受けました。彼らの仲間はイベントがないと生活できない。他の医師と『客もミュージシャンもイベント後に2週間の自主隔離に入る』『動画サイトを使う』といった案を複数提案しましたが、最後は延期を決めました」

「若者たちは誠実で、悩んでいます。そのことを理解して一緒に考えれば、暴走はせず、逆に同世代の人をリードしてくれます。年配者では考えつかないようなウイルスとの闘い方、感染予防の方法を考える側になってくれるのです」

感染者に厳しい＝感染症に弱い社会

――コロナ禍のいま、若者バッシングではなく、むしろ協力を求めるべきだと。

「悩む人の声を聞き、助ける方法の提示や補償をすれば、罰則がなくてもみんなが協力してくれます。これは、若者と年配者との関係に限りません。感染者が出た家庭と、そうでない家庭。感染拡大を招きやすい業種に就く者と、そうでない者。このままでは、そうした両者の間にひび割れができるのではと心配です」

――ウイルスへの恐怖心によって、人々の間で分断が広がると。

「みんなウイルスが怖いという気持ちはわかります。でも、ビヨンド・コロナ（コロナ終息後）の社会を見据えて、苦しい立場の人を支え助け合うことを意識しましょう。ここで苦労した若い世代は、工夫をしたり、発想転換したりして、将来をよき社会にしてくれるはずです。だから、今こそ子どもの教育や若者への支援に尽くすべきだと思います」

――コロナ終息後の社会を自分の頭で想像してみることが大切なんですね。

「そもそも感染した人に厳しい社会は、感染症に弱い社会です。感染したとわかった人には、社会を守ることに『協力したい』という心境になってもらい、自主隔離を丁寧にやってもらう必要があるからです。また、感染して抗体ができた人にはコロナ禍の第2波、第3波が来たときに、医療を担ったり物資を運んだりとボランティアをする先遣隊になってもらわないといけない。抗体を持っていれば、感染の危険性が低下します。パワーを持った仲間がいると考えることができます」

まずは検査方針の転換必要

――感染した人に優しい社会にするにはどうすればよいのでしょうか？

「必要な人はＰＣＲ検査を受けられるようにしたうえで、軽症者には居心地の良い場所に滞在してもらうべきです。そして、周囲は感染者に対し、常に『ご苦労様』という姿勢で臨むことが大切です。そうすれば、感染者は『退院した暁には、地域のためにがんばろう』という気持ちになってくれるでしょう」

——ですが、日本のPCR検査の件数は諸外国に比べて低く抑えられてきました。

「法律で、新型コロナウイルスを指定感染症にしたことが医療機関や医療従事者に負担をもたらしました。指定感染症だと無症状でも軽症でも、原則入院する必要があるからです。検査を増やせば、陽性とされて入院せざるを得ない人があふれる。だから、国は検査数を少なく抑えてきたのです。制度設計の誤りだったと思います」

——果たしてそれでよかったのですか。

「国内で感染拡大が始まった当初の2、3週間に限れば、検査をやりすぎなかったのは正解でした。でもその後は、クラスター（感染者集団）対策で時間かせぎをしながら、隔離と検査を自由にできる態勢をつくるべきでした。無自覚の感染者が市中に増えると、ケガや病気で救急搬送されてきた患者を治療する医師や看護師が、一斉に感染するリスクがあるからです」

「感染の初期においては、医療崩壊を防ぐためだった検査の抑制方針が、今は逆に医療崩壊を加速させています。スピード感を持って検査できるようにしないと、もはや院内感染や介護崩壊は防げません。ドライブスルー方式を認めるなどしていますが、国は医師が必要と判断したら、すぐ検査できるよう方針を変えてほしい」

――国や東京都は医療崩壊を防ぐため、無症状や軽症の患者については病院でなく、ホテルで滞在するように方針を変えましたが。

「都市部はそれでいいかもしれませんが、地方のホテルや旅館は風評被害を恐れ、まだ部屋の提供をためらっているのが実情です。ほかに、感染者が快適に過ごせる場として私が最適だと考えているのはクルーズ船です。船内で快適に過ごした人は晴れやかな気持ちで下船し、次は地域のためにがんばろうという気持ちになれます。感染が落ち着いたらクルーズの旅に出かけたいと思う人も出るかもしれません。船は世界各地に移動できるので、感染症流行地に移動してその地の人々の力になることができます。将来の感染症との闘いにおいても、役に立つと思います」

終息後、より良き社会に

――感染者に対する差別をなくすには、どうすればよいのでしょうか。

「差別感情の背後には、ウイルスという見えないものへの恐れがあるのかもしれません。感染が判明していないのに、医療や輸送に携わる人たちの子どもの登園・登校を拒否するようなケースもあったと聞きますが、由々しきことです。最前線で闘う仲間のおかげで私たちの生活が守られていることに思いを致さないといけません。ハンセン病やエイズウイルス（HIV）のときに犯した過ちから、私たちは何を学んだのでしょう。感染症へのリテラシーを身につけて、差別を乗り越えていくしかありません」

――一方で、若い医師や研修医が大勢で会食して感染して、批判を浴びました。

「感染拡大を招くといわれる行動をした者には、反省してもらわないといけません。でも、ダメなやつだというレッテルを貼るだけで終わったり、突き放したりしないことが大切だと思います。抗体ができていれば、これからの医療現場で力になるからです。もし私が彼らの先輩だったら、笑って『バカやろう』と言い、『これから頼りにしているよ』と声をかけるでしょう」

――コロナ禍は日本社会を変えるのでしょうか。

「ビヨンド・コロナのより良き社会を見据え、今後のことを見越した取り組みが必要だと思います。人と人との関係であれば、フィジカルディスタンシング、ソーシャルコネクティング（物理的に距離を取り、社会的につながること）が大切になってくる。どうすれば、『離れてつながる』ことが実現できるのかを考えていかなくてはなりません」

（2020年4月20日配信、聞き手・後藤太輔）

第4章

暮らしと文化という希望

寄稿

横尾忠則

Tadanori Yokoo

美術家

作品は時代の証言者 この苦境を芸術的歓喜に

新型コロナウイルス禍は、芸術を取り巻く環境を一変させた。作品はこの状況に強く影響され、不穏な空気が漂い始めているという。パンデミックの時代のアートを考察する。

よこお・ただのり／1936年生まれ。72年米ニューヨーク近代美術館で個展。2011年度の朝日賞。病気や肉体にまつわる作品などを集めた「兵庫県立横尾救急病院展」は現在休館中、会期は20年8月30日まで。

共生共存を図る精神の力を絵画に投影

新型コロナウイルスが世界に拡大しているとWHOが緊急事態を宣言したのは今年の1月31日だった。その翌日「兵庫県立横尾救急病院展」と題する展覧会が神戸の横尾忠則現代美術館で始まったが、本企画が決定したのは武漢で発生する1年前だった。

展覧会のオープニングの来客全員にマスクを配布して装着してもらった。主催者や美術館の職員らは白衣とマスクでコスプレ、大がかりな演劇的パフォーマンスを演出した。150人以上のマスク集団は誰も見たことのない光景なので美術館内は異様な雰囲気に包まれた。美術館のロビーから展覧会場には沢山(たくさん)の医療器具が配置され、病院さながらの様相を呈し、美術館がそのまま病院にハイジャックされた形になった。

この時点ではマスクを装着した人々が街に溢(あふ)れ、都市空間がアート化されるなんて誰が予想したであろうか。アートはしばしばその発想源が無意識に未来を現在化させる予知的なエネルギーをその内に秘めていることがある。従ってアートが予言（者）、幻視

（者）と評される所以でもある。とはいうものの、今ではマスクはただの日常風景。
現在は病院展は休館中だが、絵の制作は自粛するわけにはいかないので、終日アトリエに籠ったままだ。

作品は環境の変化に敏感に反応するので、僕を取り巻くコロナ的現状によって、作品は忠実にコロナにインボルブされ、いやな空気感を発生し始めている。しかし如何なる表現を取ろうと、自作を否定するわけにはいかない。こうした環境の中で生まれた作品こそ、時代の証言者になり得ると、僕は自作を肯定する。

そこで気づいたのはコロナを拒否してコロナから逃避するのではなく、コロナを受け入れることで、コロナとの共生共存を図る精神の力を絵画に投影させて、マイナスエネルギーをプラスの創造エネルギーに転換させることでコロナを味方につけてしまい、この苦境を芸術的歓喜にメタモルフォーゼさせてしまえばいいのだ。

何を人類に学ばせようとしているのか

そして、現在制作中の作品は、まだ未完の状態だが、題名を「千年王国」と定めた。千年王国とはキリスト教の終末論であるが、ここでは仏教の弥勒（みろく）思想の千年王国を想起して浄土的理想社会を構想。その表現は、あえてスラップスティックにした。だけど画面の中から聴こえて来るのは終末時計の刻む音である。コロナ旋風が通り過ぎて、コロナが終息して、人類が真の「完全な形」（安倍首相がオリンピック延期で連発した言葉）を希求するならば千年王国も夢ではない。「完全な形」を迎える前の試練が今だとすれば、我々は現在かなり厳しい状況にあるということを認識しなければならない。

僕は「千年王国」を描きながら、メディアがコロナを空間的にとらえている発想から、絵画と同じようにコロナを時間的にとらえてみたらどうだろうと考えてみた。すると時間の中で知覚するのは文明の危機である。その真只中（まっただなか）でコロナは人類に何を学ばそうとしているかが見えてくるのではないだろうか。

（2020年5月14日配信）

インタビュー

坂本龍一

Ryuichi Sakamoto

音楽家

パンデミックでも音楽は存在してきた新しい方法で適応を

歴史の中で人間は感染症の拡大を何度も経験してきたが、音楽などの芸術は消えることはない。なぜアートは生き延びてきたのか、これからどのように生き残っていけばいいのか。

さかもと・りゅういち／1952年生まれ。作曲家、音楽プロデューサー。78年YMO結成、83年に活動停止後はソロ活動を行う。テクノ・ポップの旗手として音楽のみならず、映像など幅広い分野に影響を及ぼす。

昨日と同じことをしていたら……

――坂本さんが代表・監督を務める「東北ユースオーケストラ」が今月予定していた公演も中止になりました。

「パンデミックが終息するまでは、たくさんの人間は集まらない方がいい。お客さんが何千人と来るし、オーケストラは100人超、合唱が120人ぐらい日本全国から交通機関を使って来ることになっていました。いくつもリスク要因があったので、中止にせざるをえなかった。1年間、子どもたちが練習して努力してきて、晴れの舞台を迎えるはずだったので残念ですが、健康を守り、感染を拡大させないことが何倍も大事だということはわかっています。人間は自然の一部だし、仕方がないですね」

――公演中止が相次ぎ、音楽や舞台の存続の危機を訴える声もあります。表現の場が縮小していく状況をどう見ていますか。

「人間は、歴史の中で何度も何度もこういうことを経験して、ヨーロッパの人口の3分の1が亡くなるとか、大きなパンデミックも経験してきている。それでもなお、音楽はなくならないまま、ずっと人類の歴史の中に存在してきたんですよね」

「こうした状況では、昨日と同じことをしていたら倒れてしまいます。ビジネスのやり方も活動の仕方も、急速にこの状況に適応する新たな方法を探していかないと生き残れない。いままでも生き延びてきたわけだから、何とか方法を見つけるしかないと思います」

――とはいえ、政府が要請しているのはイベントの「自粛」なので、損失は運営側やアーティスト側がかぶっているのが現状です。

「K-1がそうでしたが、開催する自由はあるのに、社会に批判されてしまう。やるんなら『要請』じゃなくて、諸外国のように、ロックダウンする代わりにちゃんと経済的な支援をすればいい。そうしないのは卑怯(ひきょう)に感じます。ただ、僕自身は今は大規模なイベントはやるべきではないと思いますけどね」

――CDが売れない時代なので、ライブ活動が生命線となっているミュージシャンも多いです。

「生活していくのが困難な人が増えるでしょう。ドイツでは、文化大臣がアーティストたちに無制限での支援を表明したというニュースが出ていましたね。やはり日本とヨーロッパでは音楽の在り方も、常日頃からかけている予算も桁が違う。文化というものの重要度が全然違うと思います」

――なぜでしょうか。

「元々、日本では西洋の文化は借り物なんでしょう。明治維新以来、輸入されて150年ぐらいしか経っていないから、芸術をサポートしようという意識や体制が、人々や行政にしっかり根付いていない。今回、見捨てるのか国としてきちんと支援するのか、っていうのは国のありようというか、文化の大切さをどう思っているかが問われると思います」

いまは歴史の分岐点

――新型コロナウイルス対策で、緊急事態宣言によって私権が制限されうる状況はどう見ていますか。

「自民党は、以前から憲法を改正して緊急事態条項を入れたがっていた。個人の権利を制限する法律で思い起こされるのは、1930年代にナチスが使った緊急事態条項ですよね。今回の法律（改正特措法）も非常に危険だと思う。野党（の一部）も賛成して成立してしまったというのは、未来から見たら、全体主義的な方向にまたガクンと一歩近づいた出来事として記憶されるんじゃないかと思います」

「危機は権力に利用されやすい。最近、亡くなった（忌野）清志郎が言っていた言葉をよく思い出すんですよ。『地震の後には戦争が来る』って。『気をつけろ』と彼は警告を発していた。すごいなと」

――実際にいま、世界中で「戦時体制」という言葉が出てきています。

「ウイルスを封じ込める政策については仕方がないと思うけど、それを利用する人が出てくるかもしれないから、気をつけないといけない。例えば、全員のスマホの位置情報を全て追跡して、誰と誰が会ったとか、そういうこともやろうと思えばできるわけですね。これは一度始めれば今回のウイルスの騒ぎが終息しても、そのまま続いてしまう可能性が高い。権力は一度有効な技術を使ってしまったら手放したくないでしょう。人権を守りたい側も、『今はしょうがないけれども、終息したらやめてくれ』と言って引き戻していくことは、現実的にはとても困難だと思いますね」

「世界全体で、テクノロジーを駆使した全体主義的な傾向が強まってしまうのか。それとも、ウイルスや疫病とも共存しながらも民主的な世界を作っていけるのか。大きな歴史の分岐点になる時期だと思う。誰もが試されていると感じます」

——坂本さんは以前、「音楽の力」という言葉が嫌いだとおっしゃっていた。いま再び「音楽の力で一つになろう」というような雰囲気も出てきています。

「僕にはよくわからないんですよね、そういうことをやろうって言う人たちの気持ちが。

僕も今回、武漢とか中国の人たちに向けてライブ配信を二つほどやって、反響が多くて、ありがたいと思った。たしかに、先が見えない状況で、ときに音楽やアートは、少し気持ちを休めさせるというか、砂漠の中の一滴の水になるかもしれない。でも僕は『みんなで頑張ろう』というのが生理的に嫌いなんで。もうそれは生まれながらのもので。まあ、やりたい人はやって下さいと」

「時間」を疑う音楽

――今、坂本さんが次に作りたい作品は？

「いま僕が作ろうとしてるものは非常に抽象的で、『時間というものは存在しない』っていう考えに基づいた音楽。僕らが常識的に思っている『時間』というのは実際にはなくて、都市や音楽のように人間が勝手に作り上げたものじゃないかという疑問がとても強まってきた。そのようなものは時間以外にもたくさんあるけど、人間はあまり気がついていない」

「人間って、自然にはない自分たちの頭でこしらえたものが現実だと思い込んで、それによって束縛されるというようなことが、ままあるんですね。時間もそうだし、お金や法律も。国だって、空から見ると国境なんてないのに、少しでも越えたら殺すみたいなことやってるわけでしょ。本当に変わった動物だと思いますね。不思議な動物。周りの動物たちはみんな『不思議な奴らだなぁ』と思って見てるに決まってるんですよ。たぶん『早く消えてなくなれ』と思ってるとも思うけど。自分たちの勝手な理屈で自然を壊してるわけだから」

「ただ、大きな津波があったり、ウイルスが来たりすると、非日常的な世界が現れて、昨日までと同じように思考はできないし行動もできない、という時にふと我に返って、自分たちも自然の一部なんだと気づくのだと思います」

――坂本さんは近年、氷河の音や雑踏など、自然の音を取り入れることが増えていますが、なぜですか。

「人間の作った音も自然の一部で、楽器の音というのは、現実の音と区別することにあまり意味がないと思うようになった。ノイズとサウンドの二項対立で考えるのはおかしいと思うようになりました」

「東日本大震災が大きなきっかけですね。地震や津波というのは言ってみればノイズですね。元々自然の素材から人間が作った建物や楽器が、がれきになって自然に近い状態に戻される。自然の方が人間の親分で、人間は自然の一部。そう考えると、人が作った楽器の音にこだわる必要がないんじゃないかと思うようになったんです」

——自然の音と、人工の楽器の音の垣根がなくなってきたと。

「垣根もなくなっているんですけれども、むしろ私という人間が作った人工の音を邪魔したいんじゃないですかね。邪魔して、壊してやりたいという気持ちさえ出てきているのかもしれません」

（2020年3月28日、聞き手・定塚遼）

寄稿

柚木麻子

Asako Yuzuki

小説家

暮らしを救うのは個人の工夫ではなく、政治であるべき

経済を最優先させる政策では、そのしわ寄せは真っ先に子供やお年寄り、病人のケアを担う人々に向かう。戦時下にも似た状況の中、個人の努力はどこまで求められるものなのか。

近影@齊藤晴香

ゆずき・あさこ／1981年生まれ。2008年に「フォーゲットミー、ノットブルー」で第88回オール讀物新人賞を受賞。『ナイルパーチの女子会』で山本周五郎賞を受賞。著書に『マジカルグランマ』など。

コロナを生きる女性たちの「精一杯」

私にはそろそろ三歳になる子供がいるが、四月初旬から保育園通園を自粛している。家族が私の感染を心配したためだ。私は十代の頃、人工呼吸器を半年近く付けているような肺の病気をしていて、その後入退院を繰り返している。そんなわけで今、自宅で育児をしながら、書き下ろし長編を書いているのだが、まったく進んでおらず、頭にあるのは三食の支度のことばかり。作品よりも冷蔵庫のストックの方が断然気になるといういびつな状況だ。必要に迫られてまれに買い物に出た後は、商品や手指の消毒であまりに時間がかかるせいで、どんどん外に出るのがおっくうになっている。できるだけ子供を早く寝かせるように努めて、夜書いているので、朝は起きるのがつらい。

同じ保育園の母親たちは、医療関係者や販売業で、今なお最前線に立たねばならない人も多い。ちょうど今年の四月から、育休が明けて職場復帰をするはずが目処が立たなくなった友達もいるし、夫の仕事について行ったばかりの慣れないスペインで娘と家に閉じこもって暮らす友達も、リモートワークができない職業についているシングルマザー、同じマンションの母親たちと連帯しながら綱渡りのようにしてかろうじて仕事を続けていたら住人に子供を黙らせろと怒鳴られた仕事仲間もいる。オンライン上で連絡をとりあったところ、それぞれ一番心を砕いているのが、家族がこれ以上暗くならないようにすることだ。仕事や家事に加えて、少しでも子供の気がまぎれるように、おのおの工夫を凝らしている。お菓子やマスクを一緒に手作りしたり、ピリピリしないようにゆるやかにスケジュールを組んだり、ルーティンをゲーム化したりなどのアイデアを日々、生み出している。

そうしているうちに、保育園から本格的に休園するというメールが届いた。

戦時下よりも異常な事態

ところで、私が今、書いているのは、明治・大正・昭和を通じた、母校の恵泉女学園の創立者・河井道(みち)の生涯についての物語だ。この一年間、母校の史料室に通いつめ、一九三〇年代に入学した初期OGに戦時中の学園生活をインタビューするなどして、少しずつ進めてきた仕事だ。しかし、学校どころか史料室も閉鎖になり、かつてない行き詰まりを見せている。関東大震災、日中戦争を経てそろそろ日米開戦というところで、ピタリと筆が止まってしまったのは、手持ちの資料がつきたのもあるが、登場人物の日常があまりにも今の状況と似ていて、重ね合わせる度に、喉の奥がウッとふさがれるせいだ。

恵泉女学園はキリスト教主義の学校ではあるが、特定の教派に基づくミッションスクールではないので、戦争中も閉鎖されることはなく、英語が飛び交う自由な校風だったそうだ。私がこの作品を書くきっかけにもなったある一枚の写真には、戦時下とは思えないほどにアメリカナイズされた女生徒たちのイキイキと笑いあう姿が写されている。しかし、色々調べてみると、校誌に没収命令が出たり、特別高等警察に連行されたり、時勢に逆らえず募金で軍事協力をしたりした記録も残っているし、空襲による死者もでている。そこには閉校にならないギリギリの線を見極めて時に不本意な道を選び、当局の目をかいくぐって国際的な授業やクリスマスパーティーを決行する女教師たちの姿があったのだ。

女性のケア能力はあって当たり前とみなされ、いつの時代も可視化されてこなかった。国を動かしてきた重要な労働なのに、金銭は払われず、評価もされない。戦時中、銃後を支える女性たちに国策のしわ寄せはのしかかり、最終的には我が子を差し出すことさえ拒否できなかった。そんな時代を「空襲は怖かったけど学校に行く時間だけはとても楽しかった」とほがらかに振り返るOGたちの言葉は、その分、死に物ぐるいの教育者たちの戦いを物語っている。

非常時に最初に苦難を強いられるのは必ず子供やお年寄り、病人のケアを担う人々だ。今回、日本が迎えている事態では、これまで同様のケア労働に加えて、少しでも活力をもって暮らそうとする個人の工夫さえ、経済を最優先させる国策の一部にのみ込まれている気がしてならない。制限された暮らしの中でなんとかやりくりしようとする私や周りの友達、まだ会ったことがない人々の必死の努力があって、生活が、国がかろうじて稼働しているのは、戦時下よりもなお、異常な状態としかいいようがない。個人の能力には限界がある。個人の暮らしを救うのは当事者の精一杯（せいいっぱい）の工夫ではなく、いつの時代も政治であるべきではないだろうか。

（2020年5月3日配信）

あとがき

コロナ禍を語る識者のインタビューや寄稿に、新聞読者やネットユーザーから数多くの反響の声が寄せられた。いま振り返ると、「コロナの時代をどう生きるべきか」という問いへの、ことば探しだったように思えてならない。

専門家から知識や考えを引き出す取材は、ともすればお説拝聴に陥りやすい。ツイッターやフェイスブックなどSNSでの膨大な情報の流通で、読者やユーザーの目や耳はますます肥えている。

そんな難しさを自覚しながら、記者たちは、著書や雑誌などの膨大な記事や資料、ツイッターやブログの発信を読み込んで論者に向き合った。この人にこの話を聞きたい、いまの状況をどう見ているのか、どんなことばで表現するだろうか——。時間にすれば、40分から1時間程度。ほとんどの記者が在宅勤務を強いられる中、Zoomやスカイプなどの慣れないオンライン取材、だいぶ距離をとった対面取材に神経を使った。思わず身を乗り出すような、ことばやエピソードに出合えば、じりじりと深掘りしていった。

自宅からなかなか出られない「ステイホーム」。ともにことばを探し、絞り出す。記者の問いかけや論者の自問自答で、しばらく考え込む。そんなやりとりを繰り返し、書き留めておきたい、いくつものことばが生まれた。

社会に自粛の同調圧力が増す中で、解剖学者の養老孟司さんの「不要不急」を考える寄稿には、「こういうことばに出会いたかった」と読者から切実なつぶやきがかえってきた。

一方、コロナ禍を知らない最後の旅人から、いまの世界はどう見えるのかも聞いた。極寒のグリーンランドを旅する探検家の角幡唯介さんに、記者が連絡をとろうと思ったのは3月。だがすでに、極北の大地へ犬橇(ぞり)で出発していて、ツイッターの更新もその後

2カ月近く途絶えていた。5月中旬、メールや携帯電話で角幡さんと連絡がとれ、ほどなく原稿が届いた。氷の世界で、自身と向き合う、いま浦島の物語が描かれていた。

今回のコロナ禍で、多くの論者や記者は、お互いの体験を持ち寄って同じ土俵で論じ合うようになった。対話によって、もやもやとした霧が晴れ、視界がパッと開けた感覚に興奮する。読者も同じような考えをもたれたかもしれない。

この本の編集作業中も、新型コロナウイルスの東京の感染者数は3ケタを更新している。アフターコロナというより、しばらくコロナと併走を余儀なくされるだろう。

先行きの見えないコロナの時代だからこそ、ひとつの型にはまったオピニオンでは物足りないかもしれない。多くの人たちの知の結晶というべき、無数のオピニオンとことばから自ら選り抜き、そして向き合いたい。

最後にこの場を借りて、お礼をつたえたい。4年ほど朝日新聞出版に在籍し、週刊朝日やAERAの副編集長を務めた。日々の雑誌編集のかたわら、単行本やムックづくりも手がけたが、そのときに感じた本づくりの生みの苦しみ、企画を練り上げる大変さ、編集作業の楽しさを久しぶりに思い出した。朝日新書編集部の大﨑俊明さんは、新聞紙上のインタビューや寄稿、デジタル配信の論考集にだれよりもいち早く着目し、新書化のきっかけをつくってくれた。そして新書編集長の宇都宮健太朗さんは、力強く企画を後押ししてくれた。文章を整え、知を束ねていく編集という職人技で、1冊の本を世に問えることは、新聞記者にとっても得がたい経験だ。2人に心から感謝したい。企画から校閲、刊行までかつての仲間が数多くかかわっている。再び仕事をともにできたことを喜んでいる。

朝日新聞オピニオン編集部次長　金子桂一

文化くらし報道部

太田啓之（大澤真幸氏、ジャレド・ダイアモンド氏、山本太郎氏／インタビュー）
神宮桃子（福岡伸一氏／寄稿編集）
定塚 遼（坂本龍一氏／インタビュー）
田渕紫織（五味太郎氏／インタビュー）
吉田純子（藤原辰史氏／寄稿編集）
田中ゑれ奈（横尾忠則氏／寄稿編集）
興野優平（柚木麻子氏／寄稿編集）
寺下真理加（斎藤 環氏／インタビュー）

デジタル編集部

森本浩一郎、伊藤あずさ、日高奈緒、江向彩也夏、三橋麻子

デザイン部

加藤啓太郎、田邉貞宏、寺島隆介

朝日新聞社『コロナ後の世界を語る　現代の知性たちの視線』取材班

オピニオン編集部

後藤太輔（養老孟司氏／寄稿編集、鎌田 實氏／インタビュー）
高久 潤（伊藤隆敏氏／インタビュー、ブレイディみかこ氏／欧州季評・寄稿編集、東畑開人氏／社会季評・寄稿編集、磯野真穂氏／インタビュー）
中島鉄郎（角幡唯介氏／寄稿編集）
金子桂一

国際報道部

高野 遼（エルサレム支局長）（ユヴァル・ノア・ハラリ氏／インタビュー）
沢村 亙（アメリカ総局長）（イアン・ブレマー氏／インタビュー）

政治部

小野太郎（中島岳志氏／インタビュー）
菊地直己（藻谷浩介氏／インタビュー）
楢崎貴司（荻上チキ氏／インタビュー）

本書は朝日新聞デジタル連載「コロナ後の世界を語る
現代の知性たちの視線」を書籍化したものである。
事実関係は原則として掲載当時のものである。

朝日新書
781

コロナ後の世界を語る

現代の知性たちの視線

2020年8月30日第1刷発行
2020年9月20日第2刷発行

著　者　イアン・ブレマー　磯野真穂　伊藤隆敏
大澤真幸　荻上チキ　角幡唯介　鎌田　實
五味太郎　斎藤　環　坂本龍一　ジャレド・ダイアモンド
東畑開人　中島岳志　福岡伸一　藤原辰史
ブレイディみかこ　藻谷浩介　山本太郎　柚木麻子
ユヴァル・ノア・ハラリ　養老孟司　横尾忠則

編　者　朝日新聞社

発行者　三宮博信
カバーデザイン　アンスガー・フォルマー　田嶋佳子
印刷所　凸版印刷株式会社
発行所　朝日新聞出版
〒104-8011　東京都中央区築地5-3-2
電話　03-5541-8832（編集）
03-5540-7793（販売）

Published in Japan by Asahi Shimbun Publications Inc.
ISBN 978-4-02-295094-9
定価はカバーに表示してあります。

朝日新書

翻訳の授業
東京大学最終講義

山本史郎

めくるめく上質。村上春樹『ノルウェイの森』、芥川龍之介『羅生門』、シェイクスピア「ハムレット」、トールキン「ホビット」……。翻訳の世界を旅しよう！　AIにはまねできない、深い深い思索の冒険。山本史郎（東京大学名誉教授）翻訳研究40年の集大成。

関ヶ原大乱、本当の勝者

日本史史料研究会／監修
白峰　旬／編著

家康の小山評定、小早川秀秋への問鉄砲、三成と吉継の友情物語など、関ヶ原合戦にはよく知られたエピソードが多い。本書は一次史料を駆使して検証し、従来の〝関ヶ原〟史観を根底から覆す。東西両軍の主要武将を網羅した初の列伝。

シニアのための　なぜかワクワクする片づけの新常識

古堅純子

おうちにいる時間をもっと快適に！　シニアの方の片づけには、この先どう生きたいのか、どう暮らしたいのか、限りある日々を輝いてすごすための「夢と希望」が何より大切。予約のとれないお片づけのプロが、いきいき健康に暮らせるための片づけを伝授！

コロナが加速する格差消費
分断される階層の真実

三浦　展

大ベストセラー『下流社会』から15年。格差はますます広がり、「上」と「下」への二極化が目立つ。コロナはさらにその傾向を加速させる。バブル・氷河期・平成3世代の消費動向から格差の実態を分析し、「コロナ後」の消費も予測する。

清須会議

秀吉天下取りのスイッチはいつ入ったのか？

渡邊大門

信長亡き後、光秀との戦いに勝利した秀吉がすぐさま天下人の座についたわけではなかった。秀吉はいかにして、織田家の後継者たる信雄、信孝を退け、勝家、家康を凌駕したのか。「清須会議」というターニングポイントを軸に、天下取りまでの道のりを検証する。

パンデミックを生き抜く

中世ペストに学ぶ新型コロナ対策

濱田篤郎

3密回避、隔離で新型コロナのパンデミックを乗り越えようとするのは、実は14世紀ペスト大流行の時と同じ。渡航医学の第一人者が「医学考古学」という観点から不安にならずに今を乗り切る知恵をまとめた。コロナ流行だけでなく今後の感染症流行対処法も紹介。

中流崩壊

橋本健二

経済格差が拡大し「総中流社会」は完全に崩壊した。そして今、中流が下流へ滑落するリスクが急速に高まっている。コロナ禍により中流内部の分断も加速している。『新・日本の階級社会』著者がさまざまなデータを駆使し、現代日本の断層をつぶさに捉える。

政治部不信

権力とメディアの関係を問い直す

南 彰

「政治部」は、聞くべきことを聞いているのか。斬り込む質問もなく、会見時間や質問数が制限されようと、オフレコ取材と称して政治家と「メシ」を共にする姿に多くの批判が集まる。政治取材の現場を知る筆者が、旧態依然としたメディアの体質に警鐘を鳴らす。

朝日新書

人生に必要な知恵はすべてホンから学んだ
草刈正雄

「好きな本は何？」と聞かれたら、「台本（ホン）です」と答える僕。この歳になって、気づきました。ホンとは、生きる知恵と人生の意味を教えてくれる言葉の宝庫だと。『真田丸』『なつぞら』をはじめ代表作の名台詞と共に半生を語る本音の独白。

渋沢栄一と勝海舟
幕末・明治がわかる！　慶喜をめぐる二人の暗闘
安藤優一郎

「勝さんに小僧っ子扱いされた――」。朝敵となった徳川慶喜に生涯忠誠を尽くした渋沢栄一と、慶喜に30年間も「謹慎」を強いた勝海舟。共に幕臣だった二人の対立を描き、知られざる維新・明治史を解明する。西郷、大隈など、著名人も多数登場。

教養としての投資入門
ミアン・サミ

本書は、投資をすることに躊躇していた人が抱えている不安を一気に吹きとばすほどの衝撃を与えるだろう。「自動投資」「楽しむ投資」「教養投資」の観点から、資産10億円を構築した筆者が、学術的な知見やデータに基づき、あなたに合った投資法を伝授。

新型コロナ制圧への道
大岩ゆり

爆発的感染拡大に全世界が戦慄し、大混乱が続く。人類はこの「戦争」に勝てるのか？　第2波、第3波は？　元朝日新聞記者が科学・医療の最前線を徹底取材。終息へのシナリオと課題を明らかにする。

危機の正体
コロナ時代を生き抜く技法
佐藤　優

「新しい日常」では幸せになれない。ニューノーマルは人間に何をもたらすのかを歴史的・思想的に分析。密集と接触を極力減らす〈反人間的〉時代をどう生き抜くか。国家機能強化に飲み込まれないためのサバイバル術を伝授する。

コロナ後の世界を語る
現代の知性たちの視線
養老孟司　ほか

22人の論客が示すアフターコロナへの針路！　新型コロナウイルスは多くの命と日常を奪った。第2波の懸念も高まり、感染への恐怖が消えない中、私たちは大きく変容する世界とどう向き合えばよいのか。現代の知性の知見を提示する。